Il simposio

CRITICA, ARTE, CULTURA

D1250505

Direttore editoriale: Fabio Ivan Pigola
Responsabile di collana: Marco Vagnozzi
Editing: Giorgio Mascari, Sara Bassi
Grafica: Martina Donati

ISBN 978-88-31900-27-0

Valentina Bandiera

Petrarca nel III Millennio
– dal *Secretum* al regresso emotivo –

divergenze

Franciscus

AVVERTENZA

Un saggio breve sul Petrarca? Non se ne sentiva il bisogno. Di lui si sono occupati alcuni tra i più importanti studiosi, da De Sanctis a Billanovich, Dotti, Fracassetti, Santagata, in modo tanto completo che quasi niente potrebbe essere aggiunto. Men che meno, qui. Ma se il tempo non spiega i gesti, spiega invece cosa, di essi, non si era capito in tempo. O meglio, *nel* tempo, quello attraversato dalle voci che hanno formulato ipotesi e tesi sulle opere di un autore che al tempo è sopravvissuto. Ecco, allora, il senso di questi appunti: un tentativo di leggere un frammento del Petrarca alla luce di realtà e valori del terzo millennio. E siccome il libro si apre con una parentesi di notizie trite ed una biografia altrettanto prevedibile, se non amate i preliminari andate subito a pagina ventitre; se invece amate indulgere nei peccati sappiate che compierli a più riprese li rende tradizioni.

Parentesi introduttiva
– con parole pomposamente petrarchesche –

Una nuova prospettiva di pensiero presuppone sillogismi ponderati che preconizzano tendenze letterarie, linguistiche e filologiche, le quali hanno segnato il mutamento della cultura italiana medievalistica sulla *fin de siècle* di un'epoca, per cedere il passo a una più rinnovata concezione di *humanitas* che, quasi a intermittenza, si mette in atteggiamento polemico contro la cultura del secolo precedente vista come antica, trapassata. Una ricca documentazione manoscritta in parte autografa, in parte corretta da egregi filologi, ci mostra la misura in cui la tradizione pre-umanistica si sia dipanata soprattutto per quanto riguarda la cosiddetta età di mezzo.

Il dissidio petrarchesco edifica una questione per nulla marginale, perché permette a tutta la tradizione intellettuale, critica e filologica di ridefinire le linee del dibattito accademico moderno; pone in luce linee di pensiero, formulate da studi filologici, letterari, storici e critici che valutano e analizzano per intero l'epoca medievale, sino alla sua scomparsa. Ciò influenza lo scenario intellettuale internazionale, perché non si può discorrere sul dissidio petrarchesco senza avere approcciato il suo predecessore, Dante Alighieri, la cui opera, arricchita di molti strati della lingua fiorentina, esprime l'enciclopedismo e l'erudizione dell'intero medioevo. Tale situazione è ripercorsa a partire dagli albori dello stilnovismo fino all'approdo di una *humanitas* che scardina l'uomo dalla sua dimensione eccessivamente trascendentale, per conferirgli quella laicità che gli permette di approcciarsi a ciò che lo circonda con maggiore serenità, non deturpata dalla "soglia iperbolica del peccato" di cui la visione medievale si faceva portavoce.

La cultura moderna sorge con l'umanesimo, cultura che nel Cinquecento farà i conti con esso. All'interno del quadro è possibile fornire un'immagine intellegibile ed integrale dell'Umanesimo. La direttrice tematica e quella cronologica s'intersecano, perché s'articolano intorno ad esse alcune figure di spicco fra cui Francesco Petrarca, Coluccio Salutati, Flavio Biondo, Leonardo Bruni, Lorenzo Valla, Leon Battista Alberti. Con questi intellettuali emergenti affiora il ciclo di *studia humanitatis* che meglio hanno caratterizzato la fine del Trecento e il Quattrocento italiano.

L'umanesimo, nelle opere storiografiche, poetiche, narrative, e artistiche in genere, si è espresso quasi sempre in latino, linguaggio fautore di una limpida e ritrovata classicità.

Per osservare lo sviluppo del movimento umanista è necessario possedere una visione multidimensionale e formalista che garantisca l'affidabilità ed un rigore scientifico, fondato sulla conoscenza e sull'uso ragionato dei contributi storici ed esegetici dell'intero patrimonio letterario e filologico del tempo, supportato da una documentazione manoscritta che sancisce la tradizione, tramandata con accuratezza dal Trecento ai giorni nostri. D'altro canto, invece, si confuta la formazione dell'uomo nel suo sviluppo completo ed esauriente.

Petrarca è segno indiscutibile dell'affievolimento dell'èra decaduta e rappresenta l'esplodere d'un movimento che si riverbera negli intellettuali dell'età moderna, e non solo in un'ottica filosofica, ma anche da un punto di vista concettuale e formale. Basti pensare al petrarchismo che privilegia un lessico forbito, aulico e latineggiante, che costruisce una tradizione fortemente imperniata su di sé, intollerante, anzi eristica nei confronti di ogni innovazione glottologica.

Si ricordi la politica linguistica adottata dall'Accademia della Crusca all'inizio del secolo barocco, e perdurante anche nei secoli successivi.

La prima fase dell'umanesimo corre sul filo della produzione petrarchesca. La sua epistola, che narra l'ascesa del monte Ventoso, ci trasmette la condizione esistenziale dell'uomo, scarnificata dai pregiudizi che obnubilano il senso della realtà.

Parlando dei riflessi della nuova scienza ed il nuovo metodo di ragionamento epistemologico, l'opera – che rappresenta la polarità del vetusto sistema oramai in deficit, e incapace di supportare l'uomo nel cammino di risveglio – è il *De sui ipsius et multorum ignorantia*, manifesto che ribadisce la concezione di una visione vitalistica e rinnovata. Tale teoria mina le basi della filosofia e teologia aristotelica, i cui centri propulsori medievali erano a Padova, a Bologna e a Parigi. Ne derivano un modus vivendi e operandi che, grazie ad una diatriba appunto eristica e polemica, disputano contro il dogmatismo teologico, per affermare valori empirici e utili alle vicende terrene incarnate in una dimensione palpabile, non effimera, che permette la disamina in senso pervasivo e fluido della dinamicità di quegli elementi che denotano *l'homo novus* in una società delineata in stretta sinergia con la vita di altre persone, nel senso politico, storico e antropologico.

In sostanza, bisogna rendersi conto che per una rinascita vivida e florida urge lo scardinamento del senso egoistico di concepimento dei rapporti umani i quali, quasi sempre, sono autoreferenziali. Insomma, bisogna partire dall'incipit: l'educazione. Già gli umanisti Guarino e Vergerio avevano incentrato le loro metodologie pedagogiche a favore dell'apprendimento umano. L'indagine linguistica e umanistica invece, porta con sé un gergo misconosciuto, il greco: nell'età antecedente l'umanesimo gli studiosi avevano interagito con le opere platoniche, ma in veste d'eresia.

Essendo l'aristotelismo, *illo tempore*, un pensiero dominante, veniva filtrato – dal punto di vista glottologico – da commentatori latini e arabi che avevano strutturato un gergo specialistico, spesso non adattato all'originale. Questo però non deve sostituire la vera ricerca dell'apprendimento d'una lingua che, a quel tempo, era percepita come nuova. Lo stesso Petrarca pativa il deficit della conoscenza della lingua greca, ma, da parte sua, l'attività di recupero delle discipline umanistiche, ha impegnato una nitida e feconda stabilizzazione architettonica delle opere greche e latine.

Insomma, si promuove l'esigenza di non assecondare la chiusura psicologica e intellettuale per suggellare una continuità intellegibile, non costipata. Tutto accompagnato da una attività filologica di indagine critica rivolta a definire il presunto originale dei manoscritti antichi, di cui Petrarca si fa iniziatore. Il metodo dello *stemma codicum*, ideato dai filologi, è utilizzato come strumento per identificare l'archetipo di un manoscritto antico.

Ciò solidifica la tradizione filologica e testuale, e questo oggi viene insegnato nelle accademie italiane. Ricorrendo a un simile approccio empirico i filologi non hanno dubbi: si enuclea l'importanza d'un lavoro ecdotico sviluppato nel censimento dei testimoni e nell'esame delle singole lezioni, per stabilire quella più congrua e vicina all'originale.

Per quanto concerne le opere petrarchesche, frutto solo in parte di una rielaborazione stilnovistica, esse introducono importanti novità: l'io lirico, acquisendo indipendenza, con tutte le sue contraddizioni, segna l'avvicendarsi di esperienze poetiche e poietiche che delineano percorsi non sempre lineari o claudicanti, impervi di ostacoli, connotati da esperienze significative. Un aspetto che affiora pure nel *Secretum*, nel quale si avvista qualche breve spunto per la psicoanalisi.

In questa piccola parentesi, si intende sviscerare anche una quaestio non di poco conto nella storia della (nostra) letteratura: il coefficiente dell'io lirico petrarchesco. Esso evidenzia l'esistenza di un conflitto interiore diviso tra esigenze spiritualizzanti e desideri terreni, pervasi dalla amorfa e arretrata convinzione che tutto ciò che definisce la materialità sia peccaminoso. Ma la concezione dell'amore petrarchesco non resta isolata. La passione amorosa si districa nell'ottica cavalcantiana, formulazione isolata all'interno della corrente stilnovistica, che ridisegna la costante per ciò che realmente trasmette: l'inappagamento, con una esperienza d'amore elaborata in maniera devastante.

Secondo tale pensiero, il vitalismo umano tende ad annichilirsi e a genuflettersi di fronte all'archetipo di morte dell'anima. Infatti, in Cavalcanti, le vicende amorose discorse con minuziosità in una solida impalcatura metrica, affiorano e proliferano in una teatralizzazione della passione che mina l'istinto di vita. Le deduzioni della psicoanalisi studieranno, e non casualmente, il concetto d'istinto vitale contrapposto a quello di morte.

In base a ciò possiamo riassumere che la visione tragica cavalcantiana sta alla base del *Canzoniere* e del *Triumphus Cupidinis*. Questa linea di tendenza ha altri predecessori, risalenti all'età della cortesia e delle buone maniere stilistiche. Innanzitutto il trovatore Bernard de Ventadorn, con la sua sofferenza implacabile che nega ogni approccio affettivo, e il cui pathos viene sedimentato da molto dolore.

Quell'analisi viene infoltita da Petrarca, che la fa propria. Come anche il *De Amore* di Andrea Cappellano, scritto all'incirca nel 1100, il cui trattato, propinando la fenomenologia del mal d'amore, di cui la produzione petrarchesca si serve, tralascia i topoi della gioia di amare.

La veste classicheggiante dell'amore viene suggerita anche da Tibullo, ma sono soprattutto le elegie che lamentano un amore deprivato e tormentato. Solamente in Dante vige l'idea conciliatoria del terreno col divino, per cui l'esperienza materiale si carica di trascendenza e spiritualità e si inserisce in una forma candida e stilisticamente accettata (*Vita Nuova*). Da qui traspare un eloquio non patetico, anzi, fluido nell'elogio, e in una lode che, rivolta all'amata, non fa altro che tessere la bellezza di Dio.

Petrarca vive considerando il proprio trasporto per Laura un ostacolo verso la santità ed è per quello che l'io dibatte con l'anima sulle debolezze, le quali formeranno la costituzione dell'uomo moderno e saranno confutate nel *De otio religioso*, nel *De vita solitaria* e nei *Psalmi penitentiales*, nel *Secretum,* dove emerge la ricerca della preghiera.

E nonostante il tempo, la contemporaneità è imperniata di questi aspetti, segno di un'epoca che cerca di fuggire al laccio della morte spirituale, dileguando così le nebbie di una negligenza morale che porta all'indolenza.

Le divergenze abissali dei registri linguistici tra Dante e Petrarca, evidenziano difformità sostanziali tra i due artisti. Da una parte il plurilinguismo dantesco che esemplifica il suo enciclopedismo, denominando la varietà del reale: dall'altra il monolinguismo petrarchesco dà ampia luce a virtuosismi formali con tono serio e solenne.

I *Trionfi* sono un poema allegorico in lingua volgare in terzine, articolato in sei visioni oniriche.

Si assiste così a sei trionfi successivi, in cui ogni allegoria scalfisce la precedente; nell'ordine abbiamo Amore, Pudicizia, Morte, Fama, Tempo, Eternità. Nei *Trionfi*, a cui Petrarca lavora dal 1340 e riesumati fino alla morte del poeta, vengono riprese e sintetizzate le riflessioni del *Canzoniere*, dei trattati morali come il *Secretum*, il *De vita solitaria*, il *De otio religioso*, nonché delle raccolte epistolari *Familiares* e *Seniles*.

I *Trionfi* ambiscono all'universalità della Commedia di Dante. Nell'opera petrarchesca si nota un profondo raccoglimento spirituale. Il desiderio di gloria e l'amore carnale verso la sua donna sono elementi minimizzati ed osservati nella loro ontologia, senza alcun velo demistificante.

Il poemetto si presenta come il viaggio ideale e universale dell'uomo dal peccato alla redenzione, un tema tipico dei testi poetici allegorico-didascalici medievali come il *Roman de la Rose* e la Divina Commedia, che diventa per Petrarca un vero e proprio termine di paragone. Il poema dantesco si manifesta sia come prototipo formale indiretto, con la scelta del Petrarca di adottare lo schema metrico della terzina, sia come baluardo concettuale del voyage allegorico-morale intrapreso. Un esempio ne è la riflessione sul cammino di Santiago che, per ragioni fideistiche o disparate, segna l'emblema della ricerca d'un cambiamento interiore. Al tempo stesso, i *Triumphi* si collocano nel percorso colto del Petrarca, sviluppando alcuni quesiti cruciali della poetica del *Canzoniere*, come la spiritualizzazione della passione per Laura, che avrà culmine nella canzone alla Vergine. I Trionfi, i quali si susseguono in sei momenti successivi con una schematizzazione rigida e inflessibile, sono incompiuti per il lungo lavoro correttorio, evidenziato nella rifinitura stilistica, nonché per la struttura: più monolitica rispetto ai componimenti del Canzoniere.

Palese è l'influenza della classicità sull'impianto del poema. È un fatto cruciale, questo, poiché la "cultura aperta" combatte la cancrena dell'ostruzionismo intellettuale, etico e psico-sociale. Se l'uomo riesce a (ri)appropriarsi delle sue potenzialità recondite senza cadere nel sonno dogmatico, coinvolgerà l'intera società in un processo di risveglio, eliminando pregiudizi e velleità che non lo orientano verso la serenità.

Oggi, l'uomo tende a trovarsi in una fase di discrepanza, non solo amorosa ma etica perché la coscienza ha smarrito l'ottica di un rinvigorimento speculativo, ripiegandosi su concettualizzazioni banali che portano a considerare gli eventi umani con superficialità e scetticismo, o, peggio ancora, con tediosa indifferenza. E non è tutto. Il senso di un Dio che non c'è o che si cura poco rende ardua la validità di una visione dinamica della fede, in quanto quest'ultima non riesce ad avvalersi in maniera totalizzante dell'esistenza umana vissuta con empatia, ma viene risucchiata in bigottismo e ipocrisia che esasperano gli errori altrui e i propri, senza prospettive di mutamento.

Perciò il conflitto amoroso/esistenziale, desunto da queste, pagine non si fonda sull'idea che delimiti un mausoleo del Trecento, ma deve gestire discussioni odierne, raffigurate nella proliferazione della complessità del reale nel collage di contingenze esterne, misurate con la ricerca d'un adeguamento al mondo affinché non vi siano fratture di certezze. È sufficiente affiancarsi all'esistenzialismo o al decadentismo: i due movimenti sciorinano raffronti meglio assemblati, seppur senza l'involucro divinizzante, e profetizzano l'attualità. Il conflitto, nell'attualità, viene smussato in un contesto ove la banalità e lo strumentalismo hanno reificato l'altro denotandolo come diverso, a causa della globalizzazione e della tecnologia. Ed anche le relazioni a distanza tendono a vanificare il senso di una filantropia non più capace di supportare l'uomo. La visione dell'affettività si architetta artificiosamente in valori strumentalizzati e nichilistici, che destabilizzano il senso della solidarietà umana per spingersi verso moti idolatrici, dove *l'altro* non tende a una parte d'un nucleo fondamentale o a un riferimento esistenziale, ma viene assorbito da una strumentalizzazione che rigetta ogni etica e vanifica ogni tentativo di sviluppare una vita secondo criteri ragionevolmente altruistici. Ma non è tutto. Si può dire che il conflitto interiore esistenziale è collettivo. La società, del resto, cerca di attenuare il malessere contemporaneo dell'uomo che ha perso ogni orientamento etico, a causa del mutamento delle condizioni storico-sociali e politiche, le cui strutture di governo non obbediscono alla spinta di conferire alle comunità una linea di sviluppo di buonsenso, bensì tendono ad implementare le strutture di partito svincolandosi da bisogni umani concreti. Il conflitto è derivato dall'esigenza dell'uomo di trovare solidi punti di riferimento alla sua crisi d'identità, ma spesso le risposte ai quesiti e le soluzioni sono fornite da una società che propina visioni consolatorie velleitarie e illusorie che si rivelano sonniferi per la coscienza. Così, anche i giovani smarriscono il loro percorso esistenziale, trovando fatue consolazioni nell'evoluzione tecnologica che, se da un lato mira alla condivisione di contenuti, esperienze e progetti con la proliferazione di nuovi schemi cognitivi, dall'altro non esaurisce l'esigenza di trovare una risposta al dilemma esistenziale.

Si può sostenere, allora, che il conflitto dell'uomo coevo trova ampio riscontro nell'esigenza di una quiete che cerchi di attingere, teologicamente, alle risorse profonde. Lo si nota dalla ricerca smisurata di un senso di appartenenza, e dall'aggregazione a vari movimenti spirituali come il Rinnovamento nello spirito[I], i focolarini[II], i neocatecumenali[III]. Quei movimenti cercano di diffondere il senso d'una fede autentica e sincera, per fornire ai fedeli strumenti che traccino una linea di sviluppo alla condizione umana. Senza basarsi su preconcetti che a priori sviliscono la speranza, ma su sperimentazioni empiriche che regalano un nuovo slancio panteistico dell'uomo verso la natura che lo circonda, attivando percorsi di crescita personale con la sentita esigenza di ripararsi da un conformismo che attanaglia la routine.

Quel conformismo è una delle cancrene che si profilano nel carrierismo, dove contano poco o nulla le relazioni umane, e tutto è all'insegna di un'autoreferenzialità che svilisce gli strati sociali più deboli. Di qui, la necessità di una profonda riflessione nel sé.

Biografia del poeta

Francesco Petrarca nacque ad Arezzo nel 1304. Nel 1312 il padre, di professione notaio, si trasferì ad Avignone, sede della curia papale, sistemando la famiglia (col secondogenito Gherardo) a Carpentras. Qui il futuro poeta studiò per quattro anni sotto la guida di Convenevole da Prato, scrittore e notaio, finché, intorno al 1316, il padre lo spedì a studiare legge a Montpellier. Due anni più tardi perse la madre, il cui lutto traspare in epicedi latini.

Dal 1320, a Bologna proseguì gli studi giuridici a cui rinunziò, definitivamente, nel 1326, alla morte del padre; da allora iniziò a dedicarsi alle prime elaborazioni poetiche in lingua volgare. Si trasferì ad Avignone dove fu costretto, a causa delle ristrettezze economiche, a prendere gli "ordini minori", indispensabili per godere dei benefici ecclesiastici che gli avrebbero conferito stabilità. Per il Petrarca sono anni dediti alla mondanità, durante i quali fiorisce l'amore per Laura, episodio determinante nella biografia letteraria, destinato a diventare il topos della sua lirica. Secondo l'esposizione del poeta, l'amore sbocciò il 6 aprile 1327, un venerdì santo, quando conobbe Laura nella chiesa di S. Chiara, in Avignone. Nel 1333, nel corso di un lungo viaggio nella Francia settentrionale, nelle Fiandre e nel Brabante, scoprì a Liegi l'orazione ciceroniana *Pro Archia*, dando fermento alle scoperte umanistiche. Si affiancò alla lettura dei classici quella dei testi sacri e degli antichi scrittori cristiani. A quel periodo risale anche l'allestimento di un'edizione delle tre decadi superstiti di Livio, più tardi annesse ai resti di un'altra decade e riunite per la prima volta in un codice, tutt'oggi conservato a Londra (manoscritto Harley 2493). Nel 1337 l'artista si ritirò in Valchiusa, presso le sorgenti del fiume Sorga, dove concepì la maggior parte delle sue opere. Il primo giorno di settembre del 1340 ricevette inviti, da Parigi e da Roma, per l'incoronazione poetica; la scelta ricadde su Roma, ma prima preferì essere sottoposto a disamina da Roberto d'Angiò[IV] re di Napoli. Dopo l'incoronazione, avvenuta in Campidoglio l'8 aprile 1341, in occasione della quale declamò un'orazione (la *Collatio laureationis,* tramandataci da un unico manoscritto), Petrarca si recò a San Pietro e depose la sua corona sull'altare. Tornò ad Avignone nel 1342 e, lì, conobbe Cola di Rienzo[V], recatosi lassù con un'ambasceria inviata da Roma. La monacazione del fratello Gherardo nella certosa di Montrieux (nel giorno di Pasqua, 1343) produsse in lui una dicotomia interiore ed un intenso turbamento, attestato dal *Secretum* e dagli *Psalmi penitentiales.* Nell'ottobre 1343 ritornò a Napoli per incarico del cardinale Colonna[VI].

Durante la permanenza a Verona, scoprì, nella biblioteca capitolare, le lettere ciceroniane *Ad Atticum, Ad Quintum e Ad Brutum.* Al tramonto del 1345 tornò ad Avignone, dove compose molti scritti (*Bucolicum carmen, De otio religioso, De vita solitaria*). A Roma, nel maggio 1347, Cola di Rienzo avviò la sua impresa politica e il poeta, che non aveva mai cessato di chiedere il ritorno della curia pontificia nella sede originaria, aderì con entusiasmo al progetto.

Nel novembre del medesimo anno partì dalla Provenza, con lo scopo di raggiungere Roma, ma a Genova ebbe notizia del proposito sfumato del di Rienzo. Ripiegò prima su Verona, quindi a Parma, dove nel maggio del 1348 l'amico Ludovico di Kempen lo informò della morte di Laura, vittima della pestilenza. Petrarca trascorse i due anni successivi in frequenti spostamenti, anche per missioni diplomatiche. Nel 1350, diretto a Roma per il giubileo, sostò ad Arezzo e a Firenze, dove incontrò amici e ammiratori, primo fra tutti Boccaccio, il quale fu indotto a modificare in senso umanistico ed erudito la direzione della sua attività letteraria, anche dal prototipo petrarchesco. Successivamente il poeta rientrò ad Avignone e con fervore riorganizzò in un corpus omogeneo le opere, soprattutto il *Rerum volgarium fragmenta*. Nel dicembre del 1352 morì Clemente VI[VII] e gli successe Innocenzo VI, che non era ben disposto nei suoi confronti, e ciò forse contribuì ad affrettare una decisione a lungo meditata, sicché il Petrarca, nell'aprile 1353, rientrò definitivamente in Italia. Incerto su dove fermarsi, fu trattenuto a Milano dall'arcivescovo Giovanni Visconti[VIII] signore della città, e lì restò per otto anni prestando importanti servigi diplomatici e difendendo la politica viscontea, malgrado le concordi critiche e l'addolorato stupore degli amici.

Nonostante l'intensa azione politica, il periodo milanese di Petrarca fu uno dei più fecondi dal punto di vista letterario (*De remediis utriusque fortune* e *Triumphi*). Nel 1362, incalzato dalla pestilenza che lo privò del figlio Giovanni e dell'amico Ludovico di Kempen[IX], fu a Padova e a Venezia, dove la Repubblica gli concesse una casa sulla Riva degli Schiavoni. Qui, si fece raggiungere dalla figlia Francesca e suo marito, coi quali nel 1370 si ritirò in una villetta ad Arquà sui colli Euganei, ove soggiornò – di preferenza – negli ultimi anni della sua vita. Superata una sincope che nello stesso anno l'aveva colto a Ferrara, continuò a scrivere indefessamente, fino alla morte, avvenuta nel 1374, ad Arquà.

Dopo la scomparsa del Petrarca, il suo allievo prediletto completò il *Compendium* del *De viris illustribus* e fece allestire molti codici delle opere del maestro, i quali, da Padova, furono largamente diffusi. Dei libri posseduti dall'intellettuale e di quelli preparati dall'allievo, una parte cospicua arricchì la biblioteca del signore locale, Francesco da Carrara[X]. Ma altri libri seguirono vie diverse, ricercati con interesse dovunque dagli umanisti; alcuni restano apografi nei quali furono trascritte, con minuziosità, le postille petrarchesche, testimonianza dei suoi vasti e scaltriti interessi filologici. Dell'autore esistono numerosi autografi (a cominciare dal codice dei *Rerum vulgarium fragmenta*, manoscritto vergato personalmente e, in parte, sotto la sua sorveglianza, dall'amanuense Giovanni Malpaghini) che denotano l'evoluzione della sua scrittura nei testi e nelle glosse, che preconizza la libraria umanistica indicata con il nome di semigotica. Per tutto il secolo XIV, Petrarca fu ammirato come elegantissimo scrittore in latino. Il poema *Africa* fu pubblicato postumo (1338-41, poi corretto e rimaneggiato dal 1343 e rimasto incompiuto), e in esso gli esametri sono ricchi d'una personale inquietudine, accompagnata da pathos cristiano. I posteri conobbero, tra le opere in versi latini, *le Epystole*, già note come *Epystole metriche* (sessantasei epistole in tre libri la cui datazione va dal 1333 al 1354. L'opera di raccolta e di revisione di esse passò per tre fasi, negli anni intorno al 1350, al 1357 e al 1363; una nuova epistola fu scoperta e pubblicata da Michele Feo nel 1985). Si dispone l'autografo del *Bucolicum carmen* (dodici egloghe, 1346-48; modificate e corrette più volte), allestito dal poeta nel 1357, e, in seguito, Petrarca diede vita a numerosissime lettere, dotte e ricercate che lui stesso sistemò in organiche raccolte, sul modello dell'epistolografia ciceroniana (e con un'attenzione speciale per il modello di Seneca), eliminando da esse quel che vi fosse troppo personale e contingente, per farne esempî validi di alta letteratura e di nobile insegnamento. Fece ciò per tramandare ai posteri un'immagine di sé degna d'essere avvicinata alle biografie esemplari dei grandi uomini di Roma.

Con i *Familiarium rerum libri* s'intitola una scelta di trecentocinquanta lettere, la più antica risale al 1325; il lavoro di scelta e adattamento si protrasse in più fasi, dal 1349 (secondo alcuni critici dal 1345) al 1366. La raccolta comprende, salvo qualche eccezione, le lettere sino al 1361, giacché in tale data prese forma una seconda raccolta, quella delle *Seniles* (centoventicinque lettere in diciassette libri), che avrebbe dovuto concludersi con una lettera ai posteri *(Posteritati)* ovvero un'autobiografia incompiuta, la cui trattazione giunge al 1351. Altre diciannove epistole – aggressive – contro la Curia avignonese (1342-58) compongono la raccolta *Sine nomine*, il cui titolo allude alla carenza di nomi dei destinatarî, omessi per prudenza. Ma il più importante documento della spiritualità petrarchesca è il *Secretum*, propriamente detto *De secreto conflictu curarum mearum*, noto con l'errato titolo *De contemptu mundi*, composto nel 1342-43. Con lucida introspezione, l'autore svela la propria infermità morale, l'accidia, alimentata dal senso di traviamento che gli sovviene dalla coscienza di non raggiungere la santità, essendo ancorato a velleità terrene.

Due trattati, il *De vita solitaria* (scritto nel 1346 e ampliato) e il *De otio religioso* (composto nel 1347 e poi rimaneggiato), vagheggiano dell'otium umanistico in una solitudine candida e soave, valorizzata da una proficua attività intellettuale e pochi amici, o nella feconda contemplazione di Dio. A questo grappolo di scritti morali-religiosi si congiungono la prosa ritmica dei sette *Psalmi penitentiales*, di incerta datazione, e un *Itinerarium breve de Ianua usque ad Ierusalem et Terram Sanctam*, più noto col titolo vulgato di *Itinerarium syriacum* (1358), una guida dei Paesi da attraversare per recarsi dall'Italia in Terrasanta.

De viribus illustribus e *Rerum memorandarum libri*, sono ambedue incompiuti. Le loro vicende di composizione riflettono lo svolgimento dell'umanesimo petrarchesco, inteso a una conciliazione e fusione tra gli ideali pagani e cristiani della vita. Opera autonoma è il *De gestis Cesaris*, poi integrato nel *De viris* – cui vi si può comprendere una *Collatio inter Scipionem, Alexandrum, Annibalem et Pyrhum*, di recente rinvenuta e pubblicata nel 1974.

Dei *Rerum memorandarum* (1343-45) ne restano quattro e un frammento di altro libro, con esempî di virtù umane.

Di natura etica è il *De remediis utriusque fortune*, iniziato nel 1354, terminato e pubblicato nel 1366, e formato da due libri. Il capolavoro è una specie di compendio, letto e chiosato nel Rinascimento, che elenca ogni possibile fortuna o disgrazia, con memorandum. Vivacissime sono infine alcune opere polemiche: il *De sui ipsius et multorum ignorantia* (1367), contro quattro averroisti veneziani che l'avevano qualificato uomo probo ma insipiente e gli *Invectivarum contra medicum quendam libri IV* (1352-55), nei quali è interessante l'apologia della poesia disinteressata contro le arti meccaniche. Ultima, *l'Invectiva contra quendam magni status hominem sed nullius scientie aut virtutis* (1355), è un j'accuse contro il cardinale Giovanni de Caraman, che spargeva calunnie sul suo conto.

Petrarca deve essere considerato un umanista ante litteram non solo per le sue scoperte, gli studi, per la sua erudizione o per la prodigiosa padronanza del latino, ma anche per aver comunicato un'epistemologia, appoggiata da una conoscenza diretta e critica attraverso le testimonianze dei classici, rigorosamente vagliate e comparate tra loro. E per aver restituito alla modernità il patrimonio di due ataviche tradizioni: quella classica e quella cristiana, finalmente conciliate e consentanee. In nome di tale cognizione, Petrarca rivendicò le ragioni della tradizione letteraria contro le pretese di scienziati e filosofi insipienti, perseguendo un ideale di saggezza capace di confrontarsi, ex aequo, con quello tramandato dagli antichi. La sua biografia ci trasmette un modello di operosità e ingegnosità per cui, nonostante momenti di inquietudine interiore, questi ultimi, estrinsecandosi nel corpus letterario, hanno valorizzato il talento dell'autore trasmettendo originalità. E i posteri hanno apprezzato il suo linguaggio, sbalorditi dal modo in cui l'intellettuale ha trasmesso, in perfetta omogeneità, il suo conflitto interiore.

Petrarca, de facto, redige una precisa autobiografia interiore. L'autobiografia è un genere importante non solo dal punto di vista letterario. Gli psicoterapeuti adottano quell'approccio per fornire ai pazienti strumenti idonei ad affrontare i traumi psichici in profondità. Anche le scuole di scrittura creativa utilizzano il metodo autobiografico, considerandolo ancora innovativo: ciò permette la condivisione di esperienze, suggerisce nuove speculazioni ed apre ulteriori orizzonti culturali.

Il modello di esistenza stesso del Petrarca costituisce un esempio anche per quanto concerne l'entusiasmo originale e pervasivo nell'ambiente circostante, incapace di cedere a torpori o accontentarsi della semplice cultura nozionistica. Quel tipo di atteggiamento è nemico delle posizioni cristallizzate e scardina il provincialismo accademico. Stessa situazione sotto il profilo politico, allora come oggi: l'azione dei Papi che condizionavano l'Italia e la Chiesa, privata della purezza originaria e dedita alla mondanità e alla corruzione è quasi identica, per inadeguatezza, a quella attuale, che non supporta le esigenze pratiche dell'uomo, avvolta com'è dai veli di un'ipocrisia che il tempo non ha contribuito ad azzerare.

NOTE AI PRELIMINARI

[I] Il rinnovamento dello Spirito è un movimento laico, con sede a Roma. La sua azione promotrice è data dalla diffusione dell'azione dello Spirito Santo. Il movimento ha come fine non solo l'unità delle comunità ma realizza anche percorsi di formazione cristiana.

[II] Il movimento dei focolarini è d'impianto laico nella Chiesa e cerca di realizzare l'unità delle comunità.

[III] Il cammino neocatecumenale rappresenta un itinerario di formazione cristiana, nel valore battesimale.

[IV] Roberto d'Angiò (1278-1343), successore di Carlo II d'Angiò regnò su Napoli, in seguito alla cessione della Sicilia a Federico II d'Aragona.

[V] Cola di Rienzo (1313-1354) è stato un tribuno italiano. Tentò di instaurare il comune a Roma segnata da conflitti tra papi e baroni.

[VI] Giovanni Colonna (1295-1348) è stato un cardinale italiano della Chiesa Cattolica, nominato da Papa Giovanni XII nel 1327.

[VII] Clemente VI (1291-1352) è stato Papa della Chiesa Cattolica.

[VIII] Giovanni Visconti (1290-1354) è stato arcivescovo e signore di Milano, appartenente alla dinastia viscontea.

[IX] Ludovico di Kempen (1304-1361) è stato un cantore fiammingo e amico del Petrarca. Ebbe in dedica le *Familiari*.

[X] Francesco da Carrara (1325-1393) è stato un condottiero italiano e signore di Padova dal 1345 al 1388.

Petrarca e il dissidio attualizzato
– il regresso emotivo nel terzo millennio –

1. Il *Secretum*: meditazione e parallelismi nei secoli

Il *Secretum, De secreto conflictu curarum mearum* è la seconda opera, insieme all'epistolario, che permette la comprensione delle dicotomie intrinseche del Petrarca. Il lavoro, la cui redazione definitiva è databile intorno al 1353, ci restituisce, senza veli, le ansie provate dal poeta, e non è altro che la confessione dell'inquietudine dell'io petrarchesco, esaminata con minuziosità. Lo scritto possiede un impianto dialogico: il dialogo ha una notevole importanza all'interno dell'opera ed ha una valenza polisemica. Attraverso di esso si esplicitano dibattiti e dilemmi di ordine filosofico, culturale, politico e psico-sociale.

In ambito epistemologico e filosofico il dialogo ha il ruolo di diffondere idee e rinnovate metodologie di pensiero. Giordano Bruno[1], con la sua filosofia, ha delineato l'itinerario al concetto di universo infinito, con l'esistenza di ulteriori mondi illimitati. Ciò comporta una notevole conseguenza con la scomparsa del limitato orizzonte medievale.

L'universo, secondo Bruno, è un organismo vivente che muta in maniera costante, di natura sconfinata, coincidente con l'Assoluto di Dio.

Quella impostazione appoggia un'idea panteistica della natura biasimata dalla Chiesa, che condanna Bruno come eretico. In realtà egli abbatte le sbarre tolemaiche preconizzando la Rivoluzione scientifica e il metodo sperimentale

---

[1] Giordano Bruno (1548-1600) è stato un filosofo cristiano dell'età rinascimentale.

di Galileo Galilei. In quel tempo la Chiesa non era lungimirante, né agevolava l'incontro con altre scuole di pensiero, poiché possedeva una larga egemonia politica e culturale insita nella sua ideologia controriformista, e tutte le congetture, contrarie alla sua direzione, erano etichettate eretiche. Gli scritti, che appoggiavano convinzioni eclettiche, venivano apposti *all'Index librorum prohibitorum*[2].

Nell'ambito letterario, il dialogo ha un carattere marcato. Se perlustriamo la letteratura delle origini, si nota come la nascita della scuola siciliana abbia influenzato lo sviluppo della cultura toscana del XIII-XIV secolo, agli albori dello Stilnovismo. Esempio è la canzone di Stefano Protonotaro[3] *Pir meu cori alligrari*[4], tradotta in lingua toscana in un andamento dolce e cadenzato, arricchito da una forma stilizzata. Ciò che traspare, da tale oggettivazione, non classifica solo il tessuto glottologico siciliano, che esercita un'ascendente sulla poesia toscana, ma anche l'architettura erudita siciliana, la quale presagisce la contiguità con lo stilnovismo toscano. Il dialogo è dunque un potente strumento intellettuale, perché d'autorevole fisionomia nei romanzi e nei racconti, esperendosi nel discorso diretto, ma il luogo dove si attua è il teatro, in quanto le scene, attraverso i gesti, le azioni e la mimica condizionano la platea di spettatori, suscitando pathos ed empatie.

Carlo Goldoni è l'emblema della commedia teatrale, per quanto concerne la storia drammaturgica italiana, e *La locandiera* è l'esempio di come si distende il dialogo negli atti delle vicende umane. È quindi lo strumento più autorevole della comunicazione umana e senza di esso c'è un deperimento, infatti soltanto grazie alla comprensione si snodano conflitti, incomprensioni e si previene l'*handicap dell'in-*

---

[2] Indice dei libri proibiti, elenco di pubblicazioni proibite dalla Chiesa cattolica, creato nel 1559 e abrogato nel 1966.
[3] Stefano Protonotaro è stato un poeta della scuola Siciliana.
[4] Componimento famoso, pervenuto da un filologo cinquecentesco, Giovanni Maria Barbieri.

comunicabilità nell'ottica ottimista della vita.

Nell'esperienza umana non sempre accade: viviamo un groviglio di personalismi nei quali sfuma la possibilità d'incontri schietti, determinando situazioni d'intolleranza verso ciò che non è conforme all'ideologia dominante. Questo provoca la senescenza della comunità, con il conseguente sfaldamento di vedute radiose per la collettività.

Infatti anche la politica – nella sua accezione oligarchica – mina le basi del dialogo, cioè l'occasione di incontro per il popolo, a causa di linee di governo tramutate in carrierismo. Dalla storia vengono esempi eclatanti di intolleranza, di discriminazione razziale ed etnica, perpetrate dai regimi totalitari del XX secolo. Nel gergo psicoanalitico, invece, il dialogo è uno degli espedienti impiegati dal terapeuta nell'indagine conoscitiva del proprio cliente, e serve a guarire nevrosi e psicosi, in genere, cristallizzate nella sfera psichica del paziente, causate da disturbi endogeni. Lo strumento del dialogo, del resto, porta alla luce lo squilibrio tra io, Es e super-io, dileguando in tal modo le esiziali conseguenze apportate dai traumi infantili.

Anche l'evoluzione tecnologica – il tecno-regime, per attualizzare – grazie alla crescita dei mezzi di comunicazione protende il dialogo in una prospettiva mondiale, per cui la capacità di recepire informazioni e conoscenze, coadiuvata anche dal web e dai social network, agevola la proliferazione di multidimensionalità della comunicazione.

Oggi la qualità di vita è migliorata grazie anche all'implementazione di innovate strutture socio-educative che forniscono efficaci e alternativi metodi comunicativi. Ma durante l'ispezione dell'opera si coglie lo scrittore sdoppiarsi in due parti, proiezione di un'interiorità scissa e lacerata.

Agostino d'Ippona, padre della chiesa cattolica, diviene emblema di una coscienza morale che, scavando nell'intimità petrarchesca, ne smonta giustificazioni e alibi per presentare una verità limpida.

Francesco, invece, simboleggia la fragilità del peccatore,

disposto ad emendarsi, ma impotente a svincolarsi dai beni mondani.

Il dialogo si svolge in tre giorni, corrispondenti ai tre libri dell'opera, e con riferimento allegorico alla trinità.

Nell'incipit del *Secretum*, c'è un rimando alle epistole di Seneca, per quanto riguarda il prototipo letterario cui l'opera aderisce. Si esplora con diligenza l'io petrarchesco in fieri, partendo dall'introduzione.

Sant'Agostino è colui che è in grado di soccorrere il poeta, dilaniato dal giogo dei tormenti perché il santo ha patito le stesse condizioni intrinseche del poeta, però egli né è uscito, motivo per cui è l'unico che può intervenire nell'analisi dell'interiorità petrarchesca.

Petrarca viene guidato in un luogo appartato laddove, in tre giorni, si svolge l'incontro terapeutico, al cospetto di una donna, che simboleggia la verità. Agostino, come detto poc'anzi, simboleggia la "controparte critica" della mente petrarchesca, che sondando all'interno dell'io desume debolezze e volubilità. Quella cognizione dovrebbe tendere a un valido scopo: superare le flebilità intrinseche e approdare alla grazia salvifica.

In seno alla contestualizzazione storica oltre che letteraria, si deduce che Petrarca non assume più l'impianto dell'uomo, (s)radicato secondo impostazioni retrive. I piaceri sensibili d'altronde erano ritenuti transeunti e responsabili di una possibile dannazione eterna, mentre l'ascetismo, la trascendenza, il misticismo erano viste come le sole categorie che guidavano la disposizione naturale dell'uomo verso la beatitudine divina. Si perviene così a uno sfaldamento di opinioni che, universali e assolute nel Medioevo, attenuano la loro enfasi nell'umanesimo. Però il Petrarca si colloca in un tempo storico-culturale che non può essere dichiarato né medievale, né umanistico. Egli soffre una sete di quiete inestinguibile e Agostino ritiene quell'insoddisfazione causata dall'attaccamento a piaceri istantanei e mutevoli.

Nella prima parte del *Secretum* si svolge un dibattito tra

Petrarca e il padre della Chiesa, a partire dall'elaborazione dell'assunto della morte. Secondo Agostino, l'analisi sulla esiguità dell'esistenza e sull'incalzare della deperibilità umana dovrebbe destare, nell'indole, la cognizione dei propri limiti e la necessità perentoria di un riscatto spirituale.

Quelle insinuazioni scuotono l'indole dell'io petrarchesco che, con oculatezza, capisce le sue negligenze. Nell'auspicio di un risveglio dal torpore spirituale, Petrarca è invitato a un'investigazione dettagliata la cui riflessione, sorretta da lucidità, dovrebbe incoraggiarlo a un pentimento radicale.

Nel secondo libro del *Secretum* l'autore affronta le angosce corporali e spirituali che affliggono il suo ego.

Innanzitutto, Petrarca e Agostino proferiscono sulla disperazione, male estremo, derivato da eventi nocivi, i quali scaraventano sovente la condizione psichica dell'uomo nell'abisso, presagio dell'inferno.

La disperazione è una delle ferite devastanti per la società, espropriata di una freschezza gioiosa. Se udiamo i notiziari giungono infauste notizie di suicidi, uxoricidi e infanticidi, caratterizzati dalla perdita del senso della vita. È un capitolo d'umanità che ha smarrito la speranza. Potrebbe sembrare un'ovvietà, ma la collettività urge di un'opera di irradiazione per permettere anzitutto ai giovani il raggiungimento dei propri obiettivi di vita, senza lasciar patire loro lo sconforto. Dal Trecento pare non sia cambiato nulla.

Nel secondo libro, Petrarca analizza i sette peccati capitali, di alcuni dei quali si riconosce responsabile, ma la lucida ispezione interiore gli dimostra, nel ginepraio dei sillogismi, il modo in cui egli sia coinvolto quasi in tutti. L'esame di coscienza si rivela arduo. Oggi esso è quasi rimosso dal modus vivendi o, tutt'al più, serve come procedura di auto-giustificazione. Perfino nell'area della fede: la confessione sacramentale è bistrattata. Ci si confessa per routine, non per purificarsi nel silenzio interiore oppure nella esamina dei gesti. Non si medita sugli errori per emendarli. Questo implica che non sussiste sacerdote che assolva le colpe, se non s'innesca nella persona un processo di modificazione profonda. Di contro va sottolineato anche che la maggior parte dei sacerdoti esercita il proprio ruolo in guisa di futilità, svilendo un sacramento e relegandolo in una specie di routine, nella quale si elencano i presunti torti in una lista, seguita dalla richiesta di una penitenza apparente, che ingloba la confessione in una sorta di rito fossilizzato che ostruisce, in modo ermetico, il senso autentico della fede cristiana. Ogni azione, buona o malvagia, si riverbera in risvolti sintomatici dal punto di vista etico, e l'asseverazione è empiricamente valida come nel film *The Gift, regali da uno sconosciuto*, di Joel Edgerton: l'opinione è collaudata in una malvagità che si riflette in una perniciosa fine per il singolo che la compie.

Tornando al *Secretum*, notiamo come l'autore si incunea ancor più in schemi amorfi e contingenti, essendo attratto da interessi materiali che gli procurano sofferenza. Petrarca dunque è esortato anche sulla dissertazione del rapporto tra corpo e anima. Le mondanità sono deperibili ed anche il corpo è una parte mortale, poiché è destinato a sfaldarsi nella vecchiaia. Esso condanna la parte più autentica di noi, l'essenza che, asservita ai piaceri corporali, non solo non s'innalza verso deduzioni più eloquenti, ma smarrisce la sua direttiva più genuina in occupazioni futili.

Anche qui l'attualizzazione mette in evidenza come l'apparenza sia sopravvalutata e l'esteriorità estremizzata e artefatta attraverso interventi che opacizzano la purezza originaria dell'aspetto di una persona, palesando – per paradosso – il suo disagio. Com'è vero, all'opposto, che diversi anziani ostentano, innaturalmente, la loro giovinezza sfiorita.

Nel ragionamento tra corpo e anima, Agostino ammonisce l'inclinazione dello scrittore a eccedere con troppo zelo nella premura verso di sé, con molte vane acconciature. Agostino sviluppa una riflessione interiorizzata da Francesco, sulla mutevolezza degli stati evolutivi della costituzione fisica. Egli fa l'esempio di coloro che, asservendosi alla propria esteriorità, l'estremizzano al punto da assottigliare la capacità cognitiva e rileva la fugacità della bellezza come categoria non imparentata con principi intellegibili.

Altri fardelli distolgono l'io petrarchesco dalla virtù e lo relegano all'inadeguatezza esistenziale; tali lacci sono rappresentati dal desiderio di vanagloria che emerge nell'ambizione del poeta, il quale è sempre cupido di fama erudita e la ricerca in maniera indefessa.

Agostino, dunque, conclude la disquisizione elaborando un laborioso discernimento sulla superbia del poeta, convenendo al concetto secondo il quale la peggior cosa è abbassare gli altri, anziché esaltare se stessi. La superbia sviluppa nell'uomo una radice velenosa che lo porta alla deificazione di sé, col risultato di reificare il prossimo per fini utilitaristici. È innegabile come l'ennesimo parallelismo di portata storica abbia cavalcato i secoli, pressoché incorrotto nel suo potere distorsore. La superbia, condannata da Agostino annichilisce la pace nel mondo degli uomini e ne enfatizza ogni fanatismo, a partire da quello religioso e politico in una partenogenesi di sentimenti d'ostilità e pregiudizi che osteggiano la crescita dell'individuo nella società.

Rinvenendo al Petrarca, per quanto concerne la disputa sull'erudizione, l'accento preme sul paragone tra la retorica greca e quella latina dal punto di vista glottologico e lessicale. È opportuno soffermarsi sull'influenza glottologica delle comunità. Latinismi e grecismi, antesignani della nostra cultura, sono radicati nel nostro idioma, simboli di un bagaglio dotto e perpetuo. Il latino e il greco costituiscono lingue di *adstrato* perché portatrici d'una contigua autorevolezza, rassomigliata ex aequo con l'italiano; per cui, oggi, alcuni lemmi vetusti non sono del tutto opacizzati dal glossario, ma si percepiscono, vivamente, nelle conversazioni.

E dopo lo studio sull'erudizione colta, Petrarca si predispone a sviscerare la sofferenza dell'io in altri aspetti: la pena, infatti, è alimentata anche da un'infermità che lo induce a disperare della salvezza: l'accidia. L'accidia è la debolezza della volontà che gli impedisce di tradurre in gesti le aspirazioni velleitarie ad una vita più pura.

Inoltre, nel III libro del Secretum, viene posta in disamina la passione per Laura, contingenza corporea che vieta a Petrarca il raggiungimento della santità.

Il desiderio accentua il dolore a causa del diniego di Laura, e nel contempo un ardente martirio implacabile. Infatti il richiamo di Sant'Agostino va al cuore della questione. La materialità accessoria districa l'ego in principi istantanei e sensibili, che assopiscono la trascendenza in un folle desiderio.

La tematica del diniego amoroso s'impregna di prerogative coeve. Chi è colpito da tale circostanza può essere annichilito dalla frustrazione del rifiuto che può ingenerare una radice ostile nei confronti del prossimo.

Per evitare queste spiacevoli conseguenze, l'individuo si deve riappropriare di una coscienza empirica che sostenga una quiete endogena, nel recupero degli impulsi affermativi che sublimino la frustrazione in una scoperta qualitativa delle proprie doti. È un atto salubre e vivificante, anche perché affretta la rimozione del rifiuto dell'altro, conducendo verso una panoramica positiva nella comunione con il prossimo, riscoperto nella sua dimensione sociale. Il sentimento negativo che ha attraversato i secoli è l'indifferenza. Essa annichilisce il tessuto sociale e consegna uomini e donne in un mondo dinamico, ma incapaci di provare un profondo coinvolgimento affettivo nelle interazioni con gli altri. L'indifferenza appiattisce la "visione pratica" della vita e vanifica l'evoluzione e la crescita di sentimenti positivi. La consapevolezza di ciò non è originale neppure nel Trecento, ma lo è – tantissimo, a livello artistico – il procedimento con cui il poeta ne deduce l'aspetto.

2. Riferimenti classici e l'impensabile normalità

Dal punto di vista culturale, si contestualizza il *Secretum* nell'interazione intertestuale con gli *auctores* della classicità latina. Per quanto concerne il testo, le dissertazioni sono state sviluppate già nell'antichità. Anzitutto l'esiguità della vita in perenne mutamento, connotata nei suoi eventi brevi e istantanei, che rimanda al Seneca di *De brevitate vitae*[5] e le *Epistulae ad Lucilium*[6]. In essi il filosofo argomenta l'illazione ed etichetta la categoria degli "occupati" che dilapidano il proprio denaro e tempo in gozzoviglie, senza curarsi di un raccoglimento interno o interrogarsi sul significato trascendentale delle cose, vivendo la realtà in maniera celere. E con inani querele, costoro asseriscono che la vita sia troppo breve. Il *sapiens* è invece colui che vive secondo un criterio calmo, la sua disinvoltura incardina un'etica rispettosa del tempo, in concordia con l'ambiente circostante e gli eventi esterni, che vengono soppesati con pazienza in un'ottica di buonsenso.

Oggi, tali considerazioni coincidono appieno coi contesti in cui viviamo. L'evoluzione umana, l'arricchimento, le comodità non soddisfano tutte le esigenze dell'uomo.

La frenesia, l'angoscia e lo stress si sono impadroniti del destino apparente di tanti e si sono infiltrati nel *modus vivendi*, guastando, addirittura, la salute psico-fisica.

---

[5] *De brevitate vitae*, composto prima del 50 d. C.
[6] *Epistulae ad Lucilium,* raccolta di centoventiquattro lettere in venti libri, scritti all'incirca tra il 62-65 d. C.

Ciò origina ansia e frustrazione, per cui non si ammansisce il tedio ma lo si amplifica, ripiegando nell'illusoria idea che l'edonismo eccessivo possa scalfire il malessere e il senso di inadeguatezza generale. Per non dover affrontare dilemmi esistenziali, la nostra indole individua palliativi vacui che non assottigliano il disagio, anzi osteggiano la presa di coscienza e declinano un'assunzione di responsabilità verso i propri ruoli e doveri. Tocca allora discernere sulle vie che intraprendiamo e sul nostro agire, in quanto incide, in maniera significativa, sui ruoli che rivestiamo nella società, determinando la credibilità che trapela all'esterno.

La pacatezza e la chiarezza, nelle relazioni sociali, stabiliscono anche il buon andamento degli approcci comunicativi. Con la virtù della distensione e della mitezza si sciolgono nodi, si risolvono incomprensioni ed evitano conflitti. Ma altre due opere petrarchesche, rappresentate dal *De otio* e *De vita solitaria* encomiano uno stile di vita quieto e terso. Il *De otio*, l'opera, dedicata ai frati certosini di Montrieux, elogia lo stile di vita dei frati dediti alla contemplazione con una serena operosità.

Nel *De vita solitaria* vige, invece, una oggettivazione del tutto laica per quel che concerne la meditazione, che qui è scandita dall'*otium*, in senso anche letterario e filosofico.

In questi scritti, Petrarca utilizza procedimenti prosastici, non esentati da una raffinata ed elaborata retorica, intessuta di esclamazioni e interrogazioni colte tratte dagli auctores classici. Su tutti, Marco Tullio Cicerone.

Egli dibatteva su dilemmi e diatribe politiche e sociali attraverso il dialogo, sviluppando le sue asseverazioni in uno stile raffinato e garbato che denotava un eloquio aulico.

Nei trattati di rilievo, come il *De invenzione* e il *De oratore*, Cicerone descrive la figura dell'*orator*. Innanzitutto, egli deve possedere una vasta *forma mentis* ed un cospicuo bagaglio erudito, coniugato con la stima delle proprie doti naturali. Per avere una buona padronanza della retorica, è essenziale organizzare un discorso conciso, le cui argomentazioni siano ben saldate nella memoria. Inoltre occorre essere elastici e versatili nel sostenere o contrapporre tesi su una disciplina ben specifica. Conviene che si radicalizzino, nell'oratore, innate qualità di giudizio, confluite in un'etica integra e saggia, senza la quale dialettica e retorica vengono strumentalizzate per scopi utilitaristici ed egoistici.

Per interloquire in maniera ottimale serve produrre nell'uditorio piacevoli effetti, coinvolgendo emotivamente le persone. Ad oggi, la retorica è utilizzata dal teatro moderno che se ne serve per organizzare spettacoli ed eventi culturali di spessore. Purtroppo l'abilità dialettica, in politica, crea un disfacimento notevole, in quanto la propensione a ricorsi retorici è asservita a manipolatori e plagiatori di coscienze con scopi clientelari. Ha perduto, nel tragitto della Storia, le sue funzioni primarie e gran parte della sua poetica.

Riallacciando tale spunto al *Secretum,* si segnala, con accuratezza, il pensiero di Bene e di Male. Ciò è espresso anche nell'opera ciceroniana *De finibus honorum et malorum* e nelle *Tuscolanae disputationes,* dove si congettura anche sulle accezioni della felicità, della tristezza e della perturbabilità dell'anima. Tuttavia, il filosofo romano si colloca su posizioni eclettiche, senza assurgere a una constatazione oggettiva o assoluta. Nel *Secretum,* bene e male sono ricondotti al libero arbitrio dell'uomo, conscio di giungere ad una direzione: si aderisce al bene se si è conformi nell'esercizio delle virtù; si sposa il danno se, viceversa, si assecondano vizi che portano al collasso. Inutile affrontare il discorso sui vizi odierni, poiché la tematica necessiterebbe di una parentesi lunga un saggio intero e forse più, ma qui preme focalizzare il parallelismo e l'intuizione tuttora attuale del Petrarca, che cercando dentro di sé non può che imbattersi nei caratteri che viziano l'umanità. E la viziano impedendole una libera autodeterminazione. Ciò opacizza ogni prospettiva, distruggendo qualunque orizzonte futuro e lesionando i valori. Assecondare le proprie brame è buon pro, purché siano lecite eticamente e non tolgano dignità a noi stessi e al prossimo. Nella visione classica, questo era divulgato dalla filosofia epicurea che sosteneva che l'uomo doveva attenersi a bisogni naturali necessari ed essenziali, deprivati di orpelli. Chi si lascia dominare da tendenze concupiscibili insegue chimere, divenendo insipiente. Per condurre una vita omogenea e ordinata, è essenziale coltivare virtù come l'umiltà, che rispecchia la gnosi sui propri limiti senza presumere di soverchiarli. La deduzione è di natura socratica: Socrate sosteneva che non si poteva commisurare tutto lo scibile umano. Bisognava ammettere di non poter inglobare, in modo empirico, tutta la sapienza, né di attingere a una dimensione assoluta di conoscenza. Ecco allora che la consapevolezza dei propri deficit delinea la tendenza d'una curiosità che porta l'investigazione di ambiti misconosciuti e variegati, con un arricchimento notevole.

La conoscenza può essere raggiunta con criteri schietti, grazie all'arte della maieutica, metodo filosofico per eccellenza. Socrate è stato il primo filosofo a mettere in risalto il carattere personale dell'anima umana, in quanto essa concilia con l'io pensante. Nella *Apologia di Socrate*, Platone testimonia in modo attendibile come Socrate abbia gettato le basi di una conoscenza intima di se stessi, connaturata al concetto di anima. Platone rappresenta lo spirito attraverso il mito della biga alata. L'anima è formata da una auriga e due equini. L'auriga personifica l'elemento razionale che collabora con lo spirito sublime, elevato, l'equino bianco, mentre l'equino nero è recalcitrante e simboleggia le passioni infime e carnali. Compito dello spirito limpido è saper governare e sublimare le passioni carnali e impedire che prendano il sopravvento.

Il rapporto tra fisico e spirito è ampiamente affrontato e dibattuto nella letteratura classica. La tesi di Epicuro sulla mortalità dell'anima, poggiata sul fondamento dell'atomismo propagandato da Democrito, non coincide con la filosofia cristiana "tomistica" sorta intorno a Tommaso d'Aquino, che parla di natura immortale e mistica dell'anima.

Per quanto riguarda l'interazione tra anima e corpo è opportuno un ragionamento apodittico: se il fisico è debilitato a causa di qualche infermità, anche lo spirito ne risente; viceversa se la nostra psiche è disturbata a causa di malattie psico-neurologiche come la schizofrenia o la depressione, anche il corpo viene influenzato.

Da ciò, l'interdipendenza tra la costituzione fisica e l'essenza interiore dell'essere umano: lo spirito deve cercare di raggiungere una dimensione calma, per regalare all'uomo la distensione. Il savio, come dice Seneca nel *De tranquillitate animi*, dev'essere imperturbato da contingenze esterne, e ad egli tocca mantenere una posizione di superiorità, senza reagire alle contumelie, azzerando o smussando l'ira senza lasciarsi dominare da essa. La rabbia obnubila la ragione e annulla la lucidità, portando al panico, con il risultato di risvolti esiziali e perniciosi per chiunque. Essa non sempre manifesta la malvagità di un individuo, ma spesso caratterizza la fragilità di chi non ha certezze fondate e ciò ne riporta un fedele ritratto dell'interazione con l'esterno. Diversa questione è l'ira mascherata. Quest'ultima è la più subdola e meschina. Sovente l'aggressività non è accettata nei contesti sociali, pertanto viene filtrata secondo schemi convenzionali e precostituiti che si adattano all'uopo e che determinano la propagazione di comportamenti che – apparentemente limpidi – occultano smodato risentimento, il più delle volte vellutato da ipocrisia. È la "tattica" utilizzata dal manipolatore passivo- aggressivo il quale camuffa, in abbracci, carezze e altre smancerie, autentici sentimenti d'odio. Costui maschera al meglio i propri intenti adottando strategie di velatura ben note, ma nelle quali le vittime, in fiducia, cadono interamente. Si tratta di comportamenti che, a lungo termine, si rivelano distruttivi e disfunzionali nelle relazioni sociali, giacché impediscono crescita e condivisione. Il "manipolatore aggressivo" utilizza la passività per non assumere il peso delle proprie azioni, deteriorando il tessuto psichico degli individui con i quali interagisce ed impedendo un'assertività che può essere lungimirante e di buon auspicio fin dai primi approcci. L'aggressività, come s'è detto poc'anzi può essere velata; tuttavia, in svariate dinamiche di gruppo, si pensi ai fenomeni deteriori tra stadi e scuole, è possibile che alcuni, a causa dell'ira, perdano la bussola di consapevolezza ed autocontrollo, compiendo azioni impensabili in quella che, socialmente, viene definita normalità.

3. L'appeal del regno degli inferi

Le ricerche umanistiche permettono l'analisi dell'esegesi critica del *Secretum* petrarchesco nell'influenza che l'opera ha riscosso negli studi di scala nazionale e internazionale.

L'Agostino petrarchesco non si snoda solo all'interno di costellazioni di vicende vissute, ma si riverbera nell'autorevolezza che i testi agostiniani hanno assunto nell'excursus ermeneutico, all'interno della formazione psico-intellettuale che assegna alla religiosità dell'io petrarchesco, seppure dilaniata, un'impronta sui generis. Quest'inferenza è stabilita dall'incipit del *Secretum*. Inoltre, si evince l'esaltazione del modello agostiniano, in concomitanza con la maturità del poeta. Il santo è capace di seguire in modo speculativo il filo conduttore delle dicotomie e delle contraddizioni endogene del Petrarca, in quanto egli è reduce dai medesimi stati d'animo del poeta. Questo stabilisce la simmetria con le *Confessioni*[7] di Agostino, i cui gemiti spirituali non sono taciuti. Da queste constatazioni, sorgono molteplici chiavi di lettura in visione euristica per cogliere una gnosi, precisata anche dalla vicenda empirica e spirituale della *Ascesa del Monte Ventoso* che Petrarca compì con il fratello Gherardo. In quella epistola in cui viene, con minuziosità, allegorizzata la crisi religiosa, perdura un riscontro risolutivo, offerto proprio dalle *Confessioni* di Sant'Agostino. Quella

---

[7] Sant'Agostino, *Le Confessioni*, tradotto da C. Vitali, BUR, Milano, 2006.

è una scissione imprescindibile del *Secretum*, e si conclude con una commistione tra vetusto e moderno, tra pagano e cristiano. Nel contempo, è esaltata la condizione di chi si è emancipato dai gorghi del peccato nel compimento d'operazioni fondamentali di produzione, ricezione e trasmissione dell'attività umana.

Ripercorrendo l'intertestualità del *Secretum* non si smarrisce il paragone con Dante Alighieri e Virgilio. Le espressioni dantesche della Commedia[8] – nei canti dell'Inferno – chiamano Virgilio *duca, segnore e maestro*. Ebbene, tali riflessioni possiedono suggestioni attuali. Oggi infatti siamo privi di connotati edificanti, perché viviamo in una società negletta di una guida certa; servirebbe un baluardo contro l'impropria evoluzione di questo tempo. Invece, il mondo si ripiega sul relativismo patologico, dove i ruoli sono confusi e le gerarchie sociali non rappresentano strutture solide cui far riferimento; si vanno smarrendo i segni della nostra identità culturale e non solo. La sfera politica, dal Trecento ad oggi, è indicatore tangibile del deterioramento di ruoli confusi e disomogenei. La cancrena dell'egoismo camuffa, in un governo partitico, la reale anarchia, in quanto il potere serve solo per la soddisfazione di interessi privati. Il regresso della famiglia tradizionale, l'istituzione che dovrebbe rappresentare – e per Petrarca e molte generazioni successive così è stata – focolare di affettività e nido di valori, sta deperendo. Siano benedette le conquiste socialdemocratiche, ma se da un lato l'evoluzione (soprattutto tecnologica) ha portato un benessere effimero ma seducente, dall'altro ha smantellato legami affettivi che fin oltre la metà del secolo passato erano prototipo e vademecum per la pedagogia dei ragazzi.

I genitori odierni per negligenza o per mancanza di tempo, ovvero negligenza mascherata da esigenza, desertificano il legame con i figli, i quali devono surrogare il mancato

---

[8] Dante Alighieri, *La Divina Commedia*, Torino, Einaudi, 1975.

affetto con apparecchiature che trasmettono un effetto esiziale di dipendenza, per cui si innescano patologie psichiche tali da impedire una sana socializzazione. E se da un lato sono molte le iniziative lodevoli per promuovere o recuperare la socialità, dall'altro il potere dei persuasori del business è per lo più incontrastabile. Il dialogo, oltretutto, nelle famiglie e non solo è frustrato dagli stessi apparecchi che l'uomo ha inventato per "comunicare meglio" e portare ovunque la verità. Nel Petrarca, Agostino risulta portatore di essa. La verità, per il poeta, è da considerare l'unico metodo deduttivo e costruttivo nelle relazioni e nelle elaborazioni cognitive, in quanto la nostra mente attecchisce al vero, perché interpreta in maniera iconica le percezioni immagazzinate anche grazie ad esperienze pregresse.

La funzione beatifica di Agostino è argomentata nel Secretum e si può azzardare un paragone tra Virgilio e Dante. Si riscontra nel *Purgatorio*[9], in occasione dell'incontro con Sordello[10], il ruolo di Virgilio, invocato con epiteti: *luce mia, dolce duca*. Petrarca, inoltre, ostenta una difformità tra Dante e Virgilio, per quel che concerne la ricezione dei due autori. Per Petrarca Virgilio è memoria poetica, nume immanente, basti meditare sulla prassi compositiva dell'aretino, testimoniata dal lavoro effettuato sui poeti latini, in maniera perspicua. È questo un caso di versi restituiti agli antichi, ma che, in realtà, risultano compenetranti nel deposito erudito del Petrarca, ricettore di modernità.

Virgilio è dunque poeta cristiano in quanto unisce l'elemento biblico cristiano con l'ideale pagano, in una poesia modellata dalla tradizione lirica ed epica romana. La stessa poesia petrarchesca sembra aderire ad un influsso virgiliano e dantesco. Ben noto il riferimento a Dante, in quanto diretto referente di una consuetudine vitale, affettiva, emotiva, etica ed intellettuale, inserita nel progetto salvifico e testimonianza autorevole della qualità esistenziale del-

---

[9] Cit. *Purgatorio*, canto VI, v-29, v-71.
[10] Sordello (1200-1269) è stato un poeta e trovatore italiano.

l'inferno e del paradiso come ontologia sostanziale, ancorché oltremondana.

Inferno e paradiso sono reali e tangibili in maniera empirica. Quasi sempre scegliamo, durante gli avvenimenti terreni, se aderire al paradiso o all'inferno. Le persone malvagie vivono l'inferno interiore e cercano di creare un'atmosfera tetra nelle persone che le circondano. La malvagità è segno di una vita prosaica senza ideali e senza sentimenti, e spesso la cattiveria si manifesta in azioni perfide, condite con belle parole. Infatti, chi mira al raggiro – per denaro o altri tornaconti personali – cela le sue intenzioni attraverso carezze e belle parole. La perfidia ha un volto camaleontico; sovente assume sembianze mellifue, convincenti, e così familiari da surclassare il concetto depauperato di famiglia, che si connotano in un atteggiamento farisaico. Quel corredo cela l'inganno e la turpitudine di chi non bada agli scrupoli.

Tali comportamenti promuovono *l'inferno nella società*, di cui sono metafora perfetta grazie proprio all'attrattiva che esercitano sugli uomini. La società ha contratto un abbonamento con il regno degli inferi: il suo appeal, ad oggi, è innegabile. Vale la pena ricordare che l'incipit dell'inferno replica le *Confessioni*. Una fruizione di esse da parte di Dante potrebbe suffragare l'unione stilistica, tematica e ideologica di quel nesso intertestuale. In Dante, la menzione di Agostino si abbina al *Convivio* con il richiamo ad epiteti ciceroniani, tanto da confermare una prassi selettiva all'interno d'una sequenza culturale antica comune a Petrarca. Del resto Agostino si distingue cristianamente ciceroniano, ed anche in Petrarca viene ribadita la fiducia nel modello retorico e esistenziale tulliano[11]. Nel proemio del *Secretum*, difatti, s'aggrega il riconoscimento di un esempio ciceroniano e virgiliano.

---

[11] Riferito a M. Tullio Cicerone.

4. Storia di un folle desiderio

La stesura definitiva del Canzoniere risale al 1374. È autografo, perché è rimarchevole l'autenticità dell'opera, secondo la volontà dell'autore. Oltre al manoscritto Vaticano Latino 3195 esiste anche un 3196, detto *Codice degli abbozzi*". L'esemplare, conservato anch'esso presso la Biblioteca Vaticana, consente agli studiosi d'ispezionare la genesi di alcuni componimenti poetici del Canzoniere, con note a margine del poeta. Tale stesura testimonia un'opera in itinere, in cui Petrarca emendava i sonetti finché non fossero, a suo giudizio, di perfezione luculliana. Il titolo originale della raccolta è *Rerum volgarium fragmenta*[12]. Dal titolo si connota la discrezione attraverso cui Petrarca giudicava l'idioma volgare di condizione inferiore alla lingua latina, utilizzata nelle comunicazioni ufficiali per il suo livello aulico ed etico.

L'opera si divide in poesie scritte durante la vita di Laura e altri componimenti scritti dopo la morte dell'amata, e consta di trecentosessantasei frammenti divisi in trecentodiciassette sonetti più ventinove canzoni, nove sestine, sette ballate e quattro madrigali. Il poeta organizza le rime sparse in un corpus omogeneo, per donare all'impianto dell'opera un'architettura tale da trasmetterle un senso narrativo. Quindi, nel momento in cui si interloquisce sul *Canzoniere*, si adduce a componimenti concatenati in un libro com-

---

[12] Frammenti delle cose volgari.

pleto, in quanto perdura il rimando a circostanze esperibili, benché non ci si possa riferire a un susseguirsi di vicende autobiografiche dalle quali sarebbe scaturito un diario. Del resto vi sono inseriti componimenti che il poeta scelse per l'alto artificio stilistico, mentre le *extravagantes* furono incluse anche in altri manoscritti[13].

L'argomento sviscerato nel Canzoniere è principalmente quello amoroso, se si eccettuano trenta liriche di quesiti morali e politici, come la *Canzone all'Italia*[14] dove il concetto di patria è identificato con la bellezza della terra natale, vagheggiata libera dalle milizie mercenarie. Pochi altri sonetti, invece, descrivono la corruzione della Curia avignonese. Ma l'ardore del poeta per Laura è il tema principale dell'io lirico, che si confessa sin dal proemio con l'incipit: *Voi ch'ascoltate in rime sparse*[15]. Il tormentato excursus interiore del *Secretum* è il passepartout per penetrare nell'universo dell'opera.

Il primo incontro con Laura avviene, documentato, il sei aprile del 1327, presso la chiesa di Avignone di Santa Chiara, nel giorno del venerdì santo. Nel libro intero si dispiega un desiderio terreno che non esclude l'aspetto erotico, ma tutto resta inappagato. Petrarca ha un ripiegamento su se stesso nell'esplorazione delle turbe interiori, assaporando la *voluptas dolendi*[16]. Nel terzo millennio la sofferenza per amore non è solo una questione petrarchesca: tanti adolescenti – e non meno adulti! – gemono a causa di un fervore non ricambiato che può generare frustrazione e depressione. Quasi tutti non si rendono conto che il rifiuto non è una punizione, ma una presa di coscienza. Molti non si rassegnano alla fine di una relazione, né al fatto ben più patologico che essa neppure abbia inizio. Così, costoro mettono in atto comportamenti vessatori e invadenti per ottene-

---

[13] Le "stravaganti" erano rime presenti anche nel *Codice degli Abbozzi* e nei *Trionfi*.
[14] Cit. Canzone 128, v-1.
[15] Cit. proemio, v-1.
[16] Volontà di soffrire.

re attenzione. L'amore morboso non connota la vera radice dell'affettività, poiché è un sentimento malsano che reifica l'altro, privandolo della libertà. Ognuno invece ha – e dovrebbe conservare – una propria indipendenza, per cui una relazione si può definire sana se tra i partner esiste un legame d'affetto e rispetto degli spazi, pena la caduta nelle ossessioni che impediscono anche il normale svolgimento della vita quotidiana. La cronaca è piena di casi di stalking, violenza domestica o pubblica, vessazioni, angherie d'ogni tipo, tutte originate da conflitti psicologici[17]. Umiliazioni e bullismi, derisioni, soggiogamenti, manipolazioni e distorsioni ad hoc dei rapporti per controllare o alterare le percezioni altrui rientrano nella casistica. La differenza coi tormenti d'animo del Petrarca sta nel fatto (enorme) che Laura è contemplata nel sogno e nella fantasia, motivo per cui egli è obnubilato da vane speranze. Nel *Canzoniere* il poeta querela l'inefficienza di compassione da parte dell'amata, ma nel contempo invoca indulgenza per le proprie pene d'amore, sperando in un cenno edulcorato. Quando gli è chiaro che insegue un amore non ricambiato si protende verso la pace e la ricerca d'una liberazione, trovando sfogo e conforto nella preghiera, consapevole del vano.

I versi proemiali infondono, nella maturità dell'io petrarchesco, la certezza dell'effimera mondanità, benché la passione procuri al poeta illusioni, lacrime e sospiri. Alla morte di Laura, causata dalla peste nel 1348, il mondo gli appare scolorito, spoglio, anche se l'ardore verso l'amata non si estingue. L'io la vagheggia come se dovesse materializzarsi, nonostante la dipartita, nei luoghi consueti, sullo sfondo di fronde mosse dalla brezza estiva, tra riflessi d'acque limpide. A volte egli fantastica la donna in cielo, ove si è trasferita pur lasciando in Terra il velo corporeo che suscita, nel suo spirito, suggestioni mellifue e aneliti. Nel sogno, Lau-

---

[17] Tali conflitti, come indagato e illustrato dai più autorevoli studiosi, si manifestano a causa di importanti carenze educative, che non sanno stimolare la consapevolezza.

ra appare meno altera, più mite e accondiscendente verso i gemiti del poeta che, dopo un lungo vaneggiare, percepisce l'onere del traviamento e l'uopo intrinseco di purificazione, alimentato dal cruccio del tempo che scorre inesorabile e trascina con sé gli eventi. Il trapasso non appare al Petrarca come un punto di quiete, ma è un arrivo dubbioso colmo di perigli e di insidie. Per questo, l'io petrarchesco ricerca certezze edificanti, deprivate della provvisorietà. L'aspirazione del poeta a una trascendenza spirituale si evidenzia nell'excipit del libro, in una canzone dedicata alla Vergine. Attraverso quella preghiera egli auspica un superamento definitivo di tutte le sue polarizzazioni intrinseche per giungere alla serenità. Pace, infatti, costituisce l'ultimo lemma con il quale si conclude l'opera.

La raccolta delinea una trasfigurazione erudita nella costruzione di un ideale esemplare di "codice letterario preordinato". Nella poesia stilnovista e nella *Vita Nuova* si rivela un'atmosfera rarefatta e irreale in cui è immerso ogni episodio d'amore e, nel *Canzoniere*, questa caratteristica è accentuata, per cui l'ambiente diviene ancora più impalpabile, anche se Laura assume sembianze concrete, in quanto inserita nell'azione disgregatrice del tempo, a differenza delle immagini muliebri degli stilnovisti. Tuttavia, la donna non possiede la corporeità di un personaggio reale, e la sua figura è evanescente anche se compaiono particolari riferiti alla bellezza fisica su cui l'intellettuale insiste – *i capei d'oro*[18], *angelico seno della gonna*[19]. È il profilo di una donna bionda in un panorama naturale. Il paesaggio però non si connota nella sua materialità, risulta stilizzato nelle immagini *di bei monti, selve, acque limpide e cielo sereno*. Ciò rimanda agli sfondi dei luoghi ameni consacrati dalla tradizione classica giunta fino agli stilnovisti. I gesti di saluto, gli sguardi negati, e poi lacrime e sospiri, sono inglobati in questo clima tratteggiato. Oggi, in una relazione incostan-

---

[18] Cit. Sonetto 90, v-1.
[19] Cit. Canzone 126, v-6,8.

te, esiste il "rinforzo intermittente", strategia messa in atto da un narcisista patologico che intende manipolare la persona con lo scopo di ottenerne il controllo. All'inizio di una relazione tossica, il narcisista occulta le reali intenzioni in un'esplosione menzognera di gesti di affetto, attenzioni, gratificazioni, coccole. Tutto molto prima dei rapporti sessuali. Si verifica, insomma, un susseguirsi di atteggiamenti che inducono la vittima a considerarsi privilegiata. Dopo il primo approccio – che può durare anche a lungo – e le verifiche necessarie al manipolatore, egli avvia il processo di rinforzo intermittente che si concreta in una serie di valori affettivi, seguiti dall'indifferenza. L'incoerenza e l'apparente variazione confondono e mettono in sofferenza la vittima, che nell'adoperarsi per tentare di far tornare tutto come prima, sarà estraniata e reificata, quindi alla mercé del narcisista che ne controlla la percezione emotiva e cognitiva.

Nel *Canzoniere*, poi, la natura assottigliata e la realtà ardente del desiderio sfumano in sequenze di situazioni stereotipate. È quasi assente il mondo della storia contemporanea con i suoi conflitti. Lo stesso mondo esterno che invece si impone, con violenta immediatezza, nella *Commedia* dantesca, perché l'orizzonte dantesco abbraccia l'effettivo nelle sue manifestazioni: dal caos dell'umano alla perfezione divina. Ma nell'opera di Petrarca il vero estrinseco sembra non esistere, perché l'unica certezza è l'interiorità, in una poesia che assume la funzione di analisi di coscienza. Il patimento amoroso, intuito dall'essere petrarchesco, autorizza l'analisi degli assilli del poeta, accompagnata dall'apprensione etica e fideistica, nutrita dalla fobia del peccato e dalla condanna del giogo delle voluttà. La mistagogia di Petrarca si riscontra in un desiderio di edificazione per la risoluzione delle dicotomie endogene, ma tocca che *quanto piace al mondo è breve sogno*[20] all'interno della con-

---

[20] Cit. proemio, v-14.

sapevolezza di quant'è labile la realtà sensibile. Ciò stabilisce un riscontro cognitivo nel notare quanto l'uomo agogni una voluttà transeunte che si sgretola al trapasso della vita, e consente al poeta di definire vacua la sua brama di erudizione, considerando anche l'amore una velleità.

Ecco perché nel proemio sembra risuonare l'eco del *contemptus mundi*, il disprezzo del mondo medievale. Il poeta vorrebbe ambire a una purezza trascendentale, ed auspica che il *Canzoniere* sia modello di conversione.

Ma se dopo avere intrapreso l'excursus del dissidio interiore, l'opera si conclude con l'invocazione alla Madonna, il conflitto non ha requie. Infatti Petrarca compone i versi quando è immerso in acque tempestose e si augura che gli episodi concreti del mondo abbiano lo stesso valore edificante della spiritualità celeste.

5. Una lunga fase di etica ottenebrata

Il *Canzoniere* si compone di poesie scritte in tempi differenti, divulgate e lette, ma inserite in un corpus omogeneo comprendente la raccolta di liriche. È perciò un *excursus* di pensieri e sentimenti in una storia divulgata a frammenti lirici. I vari sonetti non sono determinati da una struttura numerica esatta, ma si diversificano per estensione secondo la distinzione di poesie sulla conclusione di avvenimenti rimarchevoli.

Il sonetto proemiale[21] prefigura l'inscindibile raccolta e, quindi, evidenzia l'appello al lettore. Qui, l'errore giovanile è rievocato come deviamento e accompagna l'io petrarchesco dall'incipit all'excipit. Le vicissitudini interiori codificano, seppur con la gnosi d'un mutamento etico, la circolarità di un patimento in itinere. Ciò stimola la relazione con il lettore, che si pone in atteggiamento empatico verso il poeta, comprendendo i suoi gemiti. D'altra parte Petrarca rammenta la sua vacua speranza, alimentata dal dolore. Il componimento proemiale ha una musicalità, coadiuvata da una forma allitterata:

Per fare una leggiadra sua vendetta
Et punire in undi ben mille offese,
celatamente Amor l'arco riprese,
com'huom ch'a nuocer luogo et tempo aspetta[22].

---

[21] Cit. Canzoniere: sonetto I.
[22] Cit. Canzoniere, sonetto II.

Nel secondo sonetto ecco la scena dell'innamoramento. L'amore è personificato in uno stereotipo mitologico, tramandato da un archetipo classico. Il poeta non è riuscito a difendersi dalla sintomatologia dell'infatuazione. Essa è tipica delle coppie che iniziano una frequentazione amorosa. Agli albori di una relazione, il fenomeno dell'attrazione fisica è fortemente connotato e difficile da controllare perché urge la presenza della persona amata. Non sono da meno gli scoppi di gelosia che caratterizzano l'innamoramento. Il riconoscimento qui travalica i tempi, al pari dell'immedesimazione: moltissimi, tuttora, per via dell'attrazione fisica dirompente, bruciano le tappe d'una sana conoscenza che può rivelarsi cruciale per assumere consapevolezza dell'altro. Le pulsioni affettive non sono malsane, ma hanno bisogno di essere convogliate in attività ricreative. Infatti, soprattutto le pulsioni sessuali hanno esigenza di sublimazione, affinché esse non guastino l'andamento della vita quotidiana delle persona. Quelle pulsioni spesso sono sublimate attraverso attività come la scrittura, l'arte ed altro. A volte, il desiderio sessuale origina brame insaziabili che sono la rovina di chi le prova.

Una passione ardente e non corrisposta, in senso amoroso, genera fantasie fugaci, sogni interrotti e speranze velleitarie. Tuttavia, tale condizione accresce la consapevolezza della miseria umana che solo Dio – nella realtà e nell'interiorità del Petrarca – è in grado di capire, perché l'altro, di solito, giudica, etichetta e codifica in schemi cognitivi precostituiti.

L'amore e l'affettività non costituiscono il male della società, ma a volte possono rivelarsi armi di difesa attraverso cui rafforzare la resilienza[23] in condizioni difficili, o addirittura estreme. Ci si può trovare in situazioni incresciose, ed è ovvio il tentativo di alleviare le conseguenze esiziali e non rendere tutto più greve. Uno dei meccanismi di difesa

---

[23] Nel senso di adattamento.

psicologica è la "Sindrome di Stoccolma". Quella manifestazione stramba di amore nasce, sovente, nelle vittime di violenze psico-fisiche, stimolando sentimenti positivi verso i carnefici. Quel disturbo contratto è una patologia che, se da un lato consente la sopravvivenza della vittima e l'adattamento in ambienti caratterizzati da un'atmosfera perniciosa, dall'altro è distruttiva per la psiche dell'individuo, in quanto l'amore smodato per il carnefice può spingersi fino all'attrazione sessuale. Ciò determina l'alleanza e la solidarietà della vittima con l'aguzzino, in una assurda convivenza[24].

Nel terzo componimento, Petrarca descrive il primo incontro con Laura che effonde l'esordio di una vicenda errabonda, per il poeta, che ricorda di essersi invaghito della donna il giorno in cui si commemora la morte di Cristo.

Pare anacronistico, nella circostanza, però l'ardente passione non consumata inizia proprio in quel momento. E la vicenda emotiva ha il suo scoppio nella contingenza di una sofferenza collettiva. L'indicazione liturgica ha sollevato lunghissimi dibattiti: il venerdì santo del 1327 non cadde infatti il 6, ma il 10. A noi però interessa che il poeta abbia fissato la data del suo desiderio il 6, un giorno colmo di presagi: Laura muore a causa della peste il 6 aprile 1348. Il Petrarca rivolge grande attenzione a convenzioni cui elargisce significati allegorici. Ed in questa sede non si omette l'esordio del sonetto che coniuga, in sincretismo, gli avve-

---

[24] Tali fenomeni avvenivano, di frequente, in alcuni lager nazisti, ove le povere vittime erano costrette ad un modus vivendi deleterio e per salvaguardare la propria vita ed incolumità instauravano legami ossessivi e compulsivi con gli aguzzini nazisti, sino ad avere rapporti sessuali con loro. Un film che testimonia l'andamento è il *Portiere di Notte* che tratta dell'interazione tra Lucia, un'ebrea sopravvissuta alla Shoah[24] e Maximilian, un ex gerarca nazista che lavora come portiere notturno in un albergo di Vienna, nel 1957. Il loro nuovo incrocio determina una relazione ossessiva costellata da ricordi che evocano scene suggestive dal punto di vista psicologico ed erotico. Il film lascia trapelare la memoria della persecuzione e della sofferenza che, purtroppo, ha attanagliato gli eventi concernenti la seconda guerra mondiale e l'immediato dopoguerra.

nimenti privati del Petrarca con gli eventi principali della religione cristiana.

La coincidenza fra l'invaghimento personale e la morte di Cristo connota la nascita di una lunga epoca di etica ottenebrata. Nel giorno del lutto e di penitenza per i cristiani, il poeta vive in maniera ineluttabile l'infatuazione, e qui richiama corresponsabile dell'ammaliamento anche la donna, sostenendo che l'ha imprigionato grazie alla sua iridescenza. Il sonetto esalta la slealtà del combattimento affettivo: il poeta non riesce a proteggersi dalla fascinazione, di contro Laura non nutre alcuna cotta verso di lui.

Nel quarto componimento vi è lo spostamento nel borgo ove Laura è nata[25], e l'immagine di lei è parallela all'effigie di Cristo. Laura personifica il sole che ha abbagliato il poeta, mentre Cristo è la luce che ha illuminato l'umanità:

Quando io movo i sospiri a chiamar voi,
e 'l nome che nel cor mi scrisse Amore,
LAUdando s'incomincia udir di fore
il suon de' primi dolci accenti suoi.

Vostro stato REal, che 'ncontro poi,
raddoppia a l'alta impresa il mio valore;
ma: TAci, grida il fin, ché farle honore
è d'altri homeri soma che da' tuoi.

Così LAUdare et REverire insegna
la voce stessa, pur ch'altri vi chiami,
o d'ogni reverenza et d'onor degna:

se non che forse Apollo si disdegna
ch'a parlar de' suoi sempre verdi rami
lingua mortal presumptüosa vegna[26].

---

[25] Cit. Canzoniere, IV, v-12.
[26] Cit. Canzoniere, sonetto V.

Nel quinto sonetto, oltre a molte figure retoriche[27], compare l'acrostico: esso rappresenta un gioco poetico per cui le iniziali dei singoli versi formano una parola. E LAURE è quasi identico al nome di Laura, accostata alla Dafne amata da Apollo. Laura si identifica con l'alloro poetico, e vi è una *reductio ad unum* con la poesia.

Il calore provato dal poeta, però, non è ricambiato dalla donna, e come nelle elegie classiche in cui i poeti decantano il rifiuto dell'amata in versi vi è la supremazia del *servitium amoris*[28], in un'attrazione del tutto inesaudita. Quella scelta di vita esautora ogni interferenza estrinseca, e abroga le tradizionali ambizioni della politica in una sorta di *nequitia*[29] nella quale il poeta giace, per effetto di un atteggiamento dedito solo al pathos. Emerge l'influenza della poesia callimachea[30], che grazie alla sua brevità e al suo mito, si presta agli intenti del poeta elegiaco.

La fascinazione ha una valenza corposa che assolutizza il tormento e il coinvolgimento, proiettato oltre il reale, sino ad oltrepassare le barriere della morte. La situazione amorosa del Petrarca è analoga a quella vissuta da Properzio[31], prigioniero di un'attrazione erratica che lo sfianca.

L'io petrarchesco si concede la sublimazione dei sentimenti per Laura, mentre percepisce il soave beneficio della natura che accompagna la vaghezza d'un trasporto amoroso così grande. Laura, accortasi d'aver suscitato l'ardore nel poeta, vela gli sguardi e occulta parti del volto attraverso il velo in qualunque stagione.

Nella sestina ventiduesima, poi, viene descritta la circolarità dell'esistenza sperimentata da ogni essere vivente che consuma il travaglio della veglia e la requie notturna: Pe-

---

[27] Enjambement, sinchisi, perifrasi, anastrofe, metonimia, endiade, allitterazione, metafora, sineddoche.
[28] Servizio d'amore.
[29] Inettitudine.
[30] Callimaco (310 a.C.- 235 a.C.), poeta e filologo greco autore di carmi curatissimi nell'elaborazione formale, rapidi e concisi.
[31] Sesto Aulo Properzio (47 a.C.- 15 a.C.) è stato un poeta elegiaco romano.

trarca ne è logorato in maniera indefettibile. In quella convulsione riemerge ancora il contrasto fra la dimensione esterna e l'interiorità dell'autore. Tale frizione evidenzia, in modo nient'affatto velato, come da tutti i tipi d'esperienza si possa trarre buon pro, comprese le più feroci tribolazioni. Esse permettono, infatti, una profonda ispezione interiore, e la risposta agli stimoli esterni è condizionata anche dalla maniera in cui interagiamo con gli eventi e le presenze del mondo esterno. Se uno sconforto – di qualunque dimensione – è elaborato e alleggerito, allora significa che in noi c'è un carattere capace di superare qualsiasi difficoltà. Ma il travaglio petrarchesco non ha origine terrestre e non partecipa alla fusione con il creato. Il poeta vagheggia che la "sua" donna mostri pietà nel risarcimento d'ogni gemito e si scopre, nella parte finale del componimento, che è una possibilità velleitaria. L'uomo non vuole mostrare alla gente la sua ardente passione. Nonostante tutto, non percorre vie solitarie perché Amore lo insegue[32], interloquendo con lui. Il sonetto è colmo di dittologie aggettivali che evidenziano la condizione del poeta, il quale è tutto nell'instabilità dei sentimenti, in quell'impossibilità spirituale di affrontare appieno il dolore, la gioia e lo sfumare di essa in un sogno ridente che ondeggia fra speranza e angoscia. L'amore più costante è la poesia, che permette all'uomo di superare la realtà, di riplasmare dolore e gioia, di trasformare il sentimento in immagine, l'immagine in suono e di pascersi di quell'armonia che è solamente sua. Non vi è attualizzazione più dirompente e innegabile di ciò: la presa di coscienza dagli errori giovanili – veri o immaginari che siano stati – alle speranze e al vano dolore, fino alle riconosciute colpe, al pentimento, all'atto di consapevolezza nudo e sincero, sintomo della conquista d'uno stato interiore più sereno. Nel Petrarca, quel processo si compie con la trepida invocazione alla *Vergine unica e sola*[33], affinché Cristo ac-

---

[32] Sonetto trentacinquesimo.
[33] Cit. *Canzoniere*, canzone 366.

colga in pace l'ultimo respiro del poeta.

Vergine bella, che di sol vestita,
coronata di stelle, al sommo Sole
piacesti sí, che 'n te Sua luce ascose,
amor mi spinge a dir di te parole:...
Raccomandami al tuo figliuol, verace
homo et verace Dio,
ch'accolga 'l mïo spirto ultimo in pace.

6. Liriche cortesi, NILDE e il cinema di Mark Herman

È punto d'accordo fra i critici che, nei *Rerum volgarium fragmenta*, il poeta organizzi i versi dal punto di vista formale e semantico, conferendo al lavoro un'aristocrazia luculliana delle tendenze creative duecentesche. Il rigore stilnovistico si ravvisa, in maniera elitaria, nella tradizione in lingua volgare inaugurata dal Petrarca. L'erudizione viene messa in primo piano, al pari dell'interazione con una folta biblioteca mnemonica, cognitiva e fisica. Studiosi illuminati come il De Sanctis hanno aperto parentesi a riguardo, trattando l'aspetto come il cavallo di Troia per un discorso più ampio sul settore. Le biblioteche, dalla notte dei tempi, denotano ricchezza socio-culturale anzitutto nel perpetuare la *conservazione del Sapere*, salvare e predisporre una collezione di scritti preziosi, autentici. Le biblioteche hanno fornito, nei secoli, dispensa di cultura, apprendimento, alfabetizzazione e ricerca epistemologica in un'ottica critica, rendendo accessibile un vasto patrimonio. La digitalizzazione della conoscenza ha fatto il resto: con l'evoluzione del reference, del prestito interbibliotecario e del progresso tecnologico, la cultura e l'informazione bibliografica sono divenute multimediali[34]. Tramite il web milioni di utenti consultano banche dati online che consentono una navigazione per discipline e settori specifici. Oltretutto si mol-

---

[34] L'operazione non è priva di rischi, se si pensa all'instabilità della Rete, al pericolo di trasferire un mondo di informazioni su server e supporti di trasmissione e conservazione tutt'altro che sicuri e durevoli.

tiplica l'offerta per la fruizione di full-text di svariata natura. Rimane irrinunciabile il supporto fisico, poiché nulla di virtuale (ovvero potenzialmente reale, ma non tale di fatto) può essere trasferito, materialmente, nel mondo surrogato dei microprocessori. Può esservi ridotta ogni tipo di immagine, modello, disegno, schema, fotogramma, purché non presenti l'impiccio della costituzione fisica. Il volume, detto in termini pratici, non è sostituibile. Quantità di volumi che era proprio una delle ricchezze alle quali Petrarca poteva attingere. Oggi il servizio è ramificato, capillare e non richiede spazi enormi o complesse ricerche. Si pensi al servizio NILDE[35], il principale supporto di document delivery, sviluppato dal CNR di Bologna, esteso a tutte le biblioteche italiane[36]. Orbene, l'opera petrarchesca è infarcita di capisaldi della lirica italiana che rimarcano in continuazione, ai suoi contemporanei e ai posteri, il "peso" dell'erudizione e l'importanza della formazione all'interno della propria (nel caso del poeta) ed altrui biblioteca. Vi sono i siciliani con Giacomo da Lentini[37] e i toscani con Bonagiunta Orbicciani[38], Chiaro Davanzati[39], Guido Guinizelli[40], il già

---

[35] Network Interlibrary Document Exchange.

[36] Le biblioteche, grazie al catalogo informatizzato degli OPAC (Online Public Catalogue), inglobano la localizzazione di documenti e libri, accentuando la circolazione libraria. Il reference è una delle funzioni più autorevoli della biblioteca pubblica. Anche il VRD (Virtual Reference Disk) è importante, perché palesa online una caterva[36] di informazioni bibliografiche e siti web per la ricerca di materiale bibliografico. Ciò è incrementato anche dal reference linking, che integra dati primari della ricerca bibliografica con dati secondari connessi nella ricerca di maggiore documentazione. La catalogazione di un libro non ha come fine lo scaffale, ma l'utenza. L'ufficio di circolazione bibliografica deve essere sempre attivo e il reference deve soddisfare tutti i bisogni personalizzati per qualunque tipo di utenza. Infatti, l'accoglienza delle biblioteche si è ampliata ulteriormente nell'inclusione degli utenti con diversa abilità, per cui i bibliotecari assecondano un piano volto a creare mezzi alternativi di fruizione e circolazione libraria che si concretizza nel prestito a domicilio, l'audio-libro, video ingranditori, libri in braille.

[37] Giacomo da Lentini (1210-1260) è stato il poeta – e notaio – della Scuola siciliana che ha ideato il sonetto.

[38] Bonagiunta Orbicciani (1220-1290), poeta appartenente alla Scuola siculo-toscana.

[39] Chiaro Davanzati, vissuto nella seconda metà del Duecento, anch'egli è stato esponente della Scuola siculo-toscana.

[40] Guido Guinizelli (1235-1276) è il padre dello stilnovismo. La canzone: *Al cor gentile rempaira sempre Amore* ne è il manifesto.

citato Cavalcanti, Cino da Pistoia[41] e Guittone d'Arezzo[42]. Le vicende biografiche dell'io petrarchesco hanno interferito sulla sua formazione culturale, specialmente il periodo di transizione in Provenza, che ha contribuito alla codificazione della lirica amorosa provenzale, anche in seno all'archetipo cortese con richiami a personalità eccellenti come Bernard de Ventadorn[43], Arnaut Daniel[44], Peire Vidal[45].

Quella ricchezza dotta integra, in un corpus sminuzzato, un amalgama che non restringe prerogative e sollecitazioni culturali sui generis. Petrarca strumentalizza il passato per vivificare il futuro.

Sotto l'aspetto della letteratura classica, in Petrarca vige il principio di imitazione, nel senso che si avvale dell'ingegno altrui ma non dei lemmi di costoro. Inoltre, egli sancisce il primato dell'idioma volgare alla stregua del latino, assegnandogli un'impronta nobile e forbita.

Il Canzoniere in completo mira a diffondere stilemi stilistici conditi con lemmi artificiosi, capaci di infondere nelle persone sentimenti d'amore e devozione, nei quali si intuisce la missione celebrativa della poesia. La lingua volgare è in auge presso gli antichi siciliani e toscani, per cui l'intellettuale riserva ad essa i testi poetici. La biblioteca dell'autore, nella quale si forma, manifesta tutta la propria influenza. Fin dall'esordio del petrarchismo, si ometteranno gli sperimentalismi, le audacie formali, i funambolismi linguistici e retorici. Il richiamo all'ordine sarà percepibile in un classicismo leggero; la direzione piana e tragica è imperniata su un linguaggio prezioso, scelto con perizia. Dunque la poesia realistica sarà relegata in una posizione subalterna e

---

[41] Cino da Pistoia (1270-1336) poeta stilnovista apprezzato da Dante e da Petrarca.

[42] Guittone d'Arezzo (1230-1294) poeta siculo-toscano. Si dedicò allo sperimentalismo formale e i suoi componimenti si caratterizzano per un linguaggio complesso.

[43] Bernard de Ventadorn (1130-1190), trovatore della lirica provenzale, in lingua occitana.

[44] Arnaut Daniel (1150-1210), poeta della lirica provenzale. Il suo stile è apprezzato da Dante che lo definisce padre della lirica. Arnaut Daniel fu il primo *praticare* la sestina lirica.

[45] Peire Vidal (1140-1205) è stato un poeta provenzale.

bollata come "antipetrarchista". Il richiamo al formalismo e la centralità del discorso amoroso sono invece frutti della sua Scuola, figlia della carica ideologica che caratterizza la lirica romanza, benché Petrarca opponga una certa negazione preventiva alle galanterie, alla pseudo-ovidiana *ars amandi* verso cui vira la poesia cortigiana. Per il poeta, proferire versi sull'affettività significa espungere il contingente, la cornice e il pubblico, in favore dell'ascolto e l'indagine dei sostrati interiori. L'illusione affettiva può logorare e rendere schiavi, sembra ripetere ad ogni pagina. È un altro concetto dal quale pochi sono riusciti a emanciparsi, guardando almeno alla storia di tanta parte degli artisti dell'umanità, ed è l'ennesima prova della straordinaria attualità dei testi petrarcheschi. Non è indispensabile – sembra dire a sé il poeta – assecondare un affetto che non può essere ricambiato. E poi chi diviene succube d'un amore unilaterale soffre maggiormente, privato com'è della propria dignità nell'umiliante chiedere attenzioni, dando amore a chi lo rifiuta o lo fugge.

È una delle matrici dell'egoismo, giacché la maggior parte degli uomini è dominata dal senso di autoreferenzialità. Invece l'affetto deve possedere virtù, pazienza e altruismo, senza i quali una relazione non può compiersi. L'amicizia, è un sentimento più libero, ma anch'essa deve essere equa e intessuta di ricerca, presenza, lealtà, o vengono a mancare i presupposti minimi.

Fin dall'infanzia la vita sociale deve essere accompagnata dai rapporti amicali, senza i quali nessuno potrebbe mai ad aprirsi al mondo, e l'intelligenza emotiva deve allargarsi oltre la sfera genitoriale. *Il bambino con il pigiama a righe*[46] di Mark Herman, dichiarato lettore ed ammiratore del Petrarca, è un film che dimostra come l'amicizia tra bambini sia segno di autenticità, nonostante gli aberranti divieti imposti dalle contingenze storiche.

---

[46] *Il bambino con il pigiama a righe* è un film del 2008 diretto da Mark Herman, e tratto dall'omonimo romanzo di John Boyne.

Nella lirica cortese il rapporto affettivo si configura come squilibrato: l'amante si concede, mentre la dama si nega. Il sentimento rivela una ricerca perennemente insoddisfatta. Il blocco e il diniego del desiderio figurano un impedimento extra-letterario di estrazione sociale, però quanti hanno testato la via dell'amore impossibile ne hanno ottenuto un beneficio sublime. È un "effetto nobilitante della tensione erotica" e in quel territorio si spinge la *Vita Nuova*, che fissa l'amore in una concezione salvifica.

Il monolinguismo petrarchesco ordina, in perfezione stilistica e formale, il travaglio interiore, aprendo un netto divario tra l'idioma volgare e il latino. Alcuni lemmi petrarcheschi, infatti, si caricano di significati soavi, consentendo alla glottologia volgare di divenire portatrice di esperienze assolute.

È in quel contesto che si sviluppa, in maniera definitiva e presso tutte le categorie umane, la convinzione che «nulla è esistito, se non è stato scritto».

Un ruolo notevole, da allora, viene attribuito alla scrittura. Non solo è il canale di comunicazione ufficiale per trasmettere documentazioni, grida, leggi, studi ed attestati; la scrittura fissa concetti, elabora deduzioni e tesi, e quando narra non si limita a riportare una storia, ma analizza l'animo. Questo perché chi legge di una o più vicende finisce per improvvisare parallelismi con la propria storia quotidiana, trovandosi coinvolto nella matassa delle trame e soprattutto nel gioco del confronto con gli altri mediante azioni e riflessioni dei protagonisti.

In molti casi tratteggiati a mano dagli autori, ai quali si potevano letteralmente leggere le emozioni su carta, attraverso simboli, svolazzi, pressioni[47].

---

[47] Prima dell'invenzione della stampa, la grafia aveva un valore assoluto e il lavoro degli amanuensi era un'arte preziosa, al pari della lettura di manoscritti originali. Oggi vi sono periti grafici che studiano i testi e si occupano di stabilire la veridicità di un documento o di una firma. Grazie al computer, però, la grafia è omologata, per cui la scrittura di testi importanti non rivela più la portata emotiva che traspariva dal vergare a mano un testo.

E chi non ha avuto turbamenti simili a quelli di cui narra Petrarca; chi non si è intrattenuto a ragionare (dopo averli vissuti o meno) sui temi degli stilnovisti, dei poeti classici, facendo dei loro tormenti un tormento personale?

7. Dai Trionfi a Fantasilandia

Accanto al *Canzoniere*, l'unica altra opera composta dal Petrarca in volgare sono i *Trionfi*[48].

L'autore ci lavora dal 1351 al 1374 e costituiscono un poema incompiuto, suddiviso in capitoli. Il metro adottato è la terzina dantesca, e ciò fissa la *Commedia* come modello, oltre a conferire all'insieme un'impalcatura allegorica ed una struttura rigida.

Nell'anniversario del suo innamoramento il poeta si addormenta in Valchiusa, e gli si presentano sei visioni oniriche. L'immaginazione, l'allegoria, il soprannaturale e il surreale non sono spiegati in maniera epistemologica, proprio come nei moderni fantasy. Bisognerà attendere l'Ottocento per assistere a una crescita di quel genere letterario (benché sia il più antico al mondo, praticato ampiamente nei libri della Bibbia e in tutte le religioni più arcaiche), in concomitanza con la linea pedagogica. Si rammentino *Le avventure di Pinocchio*[49] di Collodi[50]. Nel Novecento, il genere si arricchisce d'altri influssi che vanno dal mito alla fantascienza e non si esaurisce, solamente, nelle opere letterarie, ma assume connotazioni multiformi e multimediali dal cinema al videogame, alla serie tv. Il mito di Hercules[51] non

---

[48] Petrarca F., *Trionfi, Rime estravaganti, codice degli abbozzi*, Mondadori, Milano, 1996, edizione critica a cura di Marco Santagata.
[49] Collodi C., *Le avventure di Pinocchio. Storia di un burattino*, Mondadori, Milano, 1900.
[50] Carlo Collodi (1826-1890) è stato uno scrittore e giornalista italiano.
[51] *Hercules*, serie animata Disney del 1998, tratta dall'omonimo film del 1997.

è stato trasmesso solo dalla letteratura, ma anche – e forse con più efficacia – dalla televisione. Questo ha rappresentato un'occasione di apprendimento per tanti adolescenti. Attraverso l'approccio visivo offerto dalla tv si favorisce un impatto immaginifico sui telespettatori, utilizzando un canale che parla il loro linguaggio al di fuori del mero studio scolastico. L'epica infonde la ricchezza erudita della letteratura ellenistica, narrando le gesta leggendarie d'un popolo[52]. Alcuni miti sono inglobati nel background cognitivo e comportamentale della nostra società, a molti altri Petrarca fa ricorso nei suoi *Trionfi*. L'opera si apre col *Triumphus Cupidinis* in quattro capitoli. Amore si presenta su un carro infuocato, seguito da amanti famosi. Il poeta, attratto da Laura, giunge all'isola di Venere, Cipro, dove si rende conto della propria schiavitù nei confronti di Amore.

Segue quindi il *Triumphus Pudicitiae*. Con l'ausilio della castità Laura sconfigge Amore, rinchiudendolo nel tempio della Pudicizia, a Roma.

Nel *Triumphus Mortis*, in due capitoli, Laura muore. La morte è rappresentata dal poeta come fede nella volontà di Dio. Sulla morte trionfa la fama, *Triumphus Famae,* e l'autore descrive una caterva di uomini intellettuali e d'azione, con predilezione per i romani.

Il *Triumphus Temporis* svela la vanità della fama annichilendola, infine il *Triumphus Eternitatis* rivela come la mondanità sia riscattata dalla serenità in Dio, verso cui il poeta protende, auspicando di contemplare Laura beata.

La comunanza al poema allegorico di Dante vuole sancire l'impianto enciclopedico ed erudito del componimento. Il riferimento alla *Commedia* cerca di saldare un significato generale – a partire dalle proprie vicende personali – in termini di esemplarità. Come indica la successione di figu-

---

[52] L'epica, un tempo diffusa oralmente con l'accompagnamento musicale di aedi e di rapsodi, si basa su un patrimonio di miti preesistenti. Esistono esemplari significativi di epica rappresentati dall'*Iliade* e l'*Odissea* di Omero e non si tralascia il mito di Orfeo ed Euridice, contenuto nelle *Metamorfosi* di Ovidio.

re allegoriche i momenti sono: la passione d'amore del poeta, il freno imposto dalla virtù della donna che non cede ai suoi desideri, la morte che placa le inquietudini della carne, l'aspirazione alla gloria che prevale sulla morte, lo scorrere del tempo che ammansisce ogni ricordo della gloria stessa, e l'auspicio del raggiungimento della quiete eterna, in cui si congiunge ogni antinomia[53].

In una sintesi tutt'altro che riduttiva, i *Trionfi* vorrebbero offrire il diagramma d'una conversione per attingere alla salvezza celeste, e qui Petrarca diserta il piano dell'esperienza soggettiva per donare all'opera – o per cercare il più possibile di farlo – l'altezza della *Commedia*, che sottolinea ad un piano escatologico il destino dell'umanità. Propone, sostanzialmente, i *Trionfi*, come opera d'elucubrazione ed aspirazione morale, nonostante le contraddizioni intrinseche del poeta non sperimentino una soluzione conclusiva. Al poema[54], infatti, mancano la continuità dantesca e il realismo descrittivo, per cui la materia trattata appare astratta.

Alla luce delle centinaia d'esperienze, di cui la vicenda di Petrarca è una sintesi eccellente, l'autore di poemi non deve farsi scoraggiare dalle tendenze culturali e letterarie che dominano il proprio periodo, relegando di volta in volta la poesia a una posizione preminente o di nicchia rispetto ad altri generi letterari. Anzi egli deve armonizzare, nei carmi, il contrasto tra il fluire degli eventi biologici, cognitivi, sociali, e lo spazio culturale in cui ogni uomo è calato.

L'equilibrio della poesia sta proprio nel coniugare il reale con l'immaginifico, evitando che l'*io poetico* ispessisca u-

---

[53] Divisione.
[54] Il poema, nel periodo storico trattato e per molti secoli ancora, sarà una narrazione in versi di carattere letterario o storico, ad intento didascalico e divulgativo. Esempio di poema per antonomasia è infatti la *Commedia* dantesca, che svolge la sua funzione pedagogica descrivendo con minuziosità nelle tre cantiche rappresentate dall'*Inferno*, dal *Purgatorio* e dal *Paradiso*, i particolari storici, politici e culturali della Firenze nella metà del Duecento. Nella contemporaneità, il poema, nelle poche opere letterarie in cui si riversa, dà vigore alla poesia, risaltando le concrezioni ontologiche di una società in itinere.

na soggettività non riscontrata nell'ambiente concreto. Gli eventi personali d'ogni poeta si devono calare in un tempo e uno spazio vissuto che risaltino le vicissitudini e i sentimenti che appartengono alla collettività. Per questo la poesia odierna non si circoscrive solo in un nostalgico, tedioso passato classicheggiante, ma deve espandersi agli influssi della cultura contemporanea.

Il classicismo, per quanto importante e fondamento della nostra cultura mediterranea, non deve impedire lo sbocciare di innovazioni da cui ne potrebbe scaturire una nuova classicità spregiudicata, sorprendente nei contenuti.

Va da sé che il poema deve pure fare i conti con un mondo non più cristallizzato in certezze assolute, ma confinato in un relativismo cronico e patologico – dove i ruoli sociali sono permeati da una confusione generata dal disorientamento economico, storico e socio-politico, e alimentata da una crisi che infetta tutti i piani sociali. Quindi anche il genere ne viene influenzato nelle accezioni, che sono pervase da ben altri tipi d'eroismi.

Tuttavia si possono ugualmente, anche se di rado, ravvisare esempi di poemi suggestivi, come l'opera *La divisione della gioia*[55], di Italo Testa, ove si tratteggia la realtà sociale della seconda guerra mondiale, intessuta d'epica erotica in cui la gioia e il dolore sono protagonisti.

Ciò che forse è andato scomparendo è il dibattito attorno ai contenuti (non si pretende la guerra "a colpi d'arte" fra Leopardi e il Tommaseo, perché simili intellettuali non se ne vedono, attualmente), la Scuola di pensiero derivante dai maestri e l'artigianato commentario. Il commento di Bernardo Ilicino[56] ai *Trionfi*, per esempio, fu stampato nel 1475 e il primo commento al *Canzoniere*, redatto da Francesco Filelfo[57], venne dato alle stampe nel 1476. L'incunabolo, proprio col commento di Ilicino, rappresenta la con-

---

[55] Italo Testa, *La divisione della gioia*, Transeuropa, Massa-Carrara, 2010.
[56] Bernardo Ilicino (XV- XVI sec. d.C.) fu un letterato senese.
[57] Francesco Filelfo (1398-1481) è stato uno scrittore umanista.

sacrazione d'una tradizione manoscritta di cui sono perve-
nuti sedici testi, dal 1450 al 1470.

E il commento, nell'opera petrarchesca, ha una tradizione bipartita: un gruppo di codici tramanda la versione parziale fino al verso LX della prima redazione del *Triumphus
Famae I*, collocato dopo il *Triumphus Mortis II*, mentre un
altro gruppo di codici "trasmette" il commento dell'intero
corpus. La stampa realizzata presso Portilia[58], invece, è te-
stimone della versione parziale, che non coincide col testo
dei manoscritti, per cui essa rimaneggia, integrando il testo
precedente. Il tipografo Portilia s'era rivolto ad un letterato modesto affinché sistemasse il commento tradizionale ai
fini di stampa. Gli studiosi suppongono che, in una prima
fase redazionale, il commento fosse parziale, per essere poi
completato successivamente. E nel commento si individua
una prima stratificazione di glosse ai *Trionfi* che confluiro-
no nell'opera come la conosciamo. Tali correzioni testuali
sono significative per la sfera dell'istruzione e non soltanto.
La buona alfabetizzazione di base coadiuva il percorso pe-
dagogico dell'individuo dall'infanzia all'età adulta, e la capacità di padroneggiare a fondo gli strumenti del proprio
idioma offre molteplici opportunità di crescita. Facilità di
comprensione e trasmissione, quindi occupazione, ricerca
in ogni ambito e continue opportunità per potenziare il bagaglio dello scibile comune.

[58] Andrea Portilia, tipografo in Parma, 1473.

8. L'incubo del regresso emotivo

All'alba del giorno dell'anniversario del primo incontro con Laura, Petrarca, assopitosi in Valchiusa, ha una visione onirica. Egli sogna Cupido alla guida di un carro trionfale, circondato da una moltitudine di schiavi.

Amore, il quale ha il potere di soggiogare tutti, teme che Laura che resti libera. E infatti lei, con l'ausilio della virtù, non cede al desiderio e non ricambia i sentimenti d'amore del poeta. Ora: l'amore non ricambiato può costituire motivo di sofferenza, ma se è accompagnato dall'odio può divenire una seria minaccia non solo per una ristretta cerchia di persone, ma per la collettività. La differenza con l'attualità si fa macroscopica, poiché al netto del superamento di molti pregiudizi nei confronti delle donne e del rapporto amoroso, l'educazione all'amore è andata facendosi più carente. Gli adulti sono infetti dalla cancrena della *rapida sostituzione dei sentimenti*, delle figure che lungo un rapporto di qualunque durata li hanno generati. E l'indifferenza è la necrosi che innesca la spirale del disprezzo, dell'incomunicabilità a comando, che ricorre ad espressioni ipocrite a cottimo – come "non parliamo lo stesso linguaggio"[59] et similia – alle quali nessuna delle parti sa di poter credere, né intimamente ha mai creduto plausibili. Dalle parole ai gesti la distanza è minima. Nulla di comparabile con i travagli in forma poetica di Petrarca, e sarebbe monotono meditare a

---

[59] Una delle frasi fatte più ricorrenti e vuote di senso, laddove il linguaggio dell'essere umano non ha altri ostacoli oltre alle differenze di idioma.

lungo su atteggiamenti ormai cristallizzati e unidirezionali, dai quali nessuno vorrebbe emanciparsi per ragioni di comodo. La comunità, quando si ripiega nella fobia piuttosto che aprirsi al progresso emotivo, fa lunghi balzi a ritroso, e pur rendendosi conto di quant'è grande il danno che arreca a sé e agli altri, non sa più a interrompere la spirale della caduta, come capita, peraltro, su tutti i fronti fondamentali dell'esistenza umana. È dunque dominata, per accettazione (sempre di comodo, poiché gli è stato insegnato che il troppo pensare costa fatica e applicarsi per un fine privo di guadagni materiali è tempo perduto), e trasforma il progresso in regresso emotivo[60]. In quel ciclo secolare di vinti, per dirla col Verga, risulta invischiato pure Petrarca, ma la sua avventura è spirituale. Cede, infatti, a Cupido, e quindi segue senza opporre resistenza – per scelta, anch'egli! – la processione di Cupido che giunge a Cipro, l'isola sacra a Venere. Ed ecco la cerimonia trionfale del dio dell'amore e l'imprigionamento dei suoi vinti. In seguito, Laura trionfa su Amore[61] resistendo ai suoi assalti e, con l'aiuto della virtù, lo sgomina, facendone strazio. Allora, insieme alle donne caste, Laura, dall'isola, raggiunge Roma, per deporre le spoglie di Cupido nel tempio della Pudicizia. La morte[62] la consegna al trionfo di quest'ultima, che però risuona come una celebrazione della vita: è il canto, anzi, il triumphus di ciò che sta prima (la vita di carne), durante e dopo di essa.

Nell'opera petrarchesca la morte[63] è schiacciata dalla fama, che può prelevare gli uomini dal loro sepolcro per farli

---

[60] L'esempio più macroscopico viene dai cosiddetti interventi green, in favore del pianeta Terra: visti da tanti come necessari solo a parole. Nei fatti, molti di coloro che per primi si lagnano della situazione, sono anche tra i massimi inquinatori e deturpatori dell'habitat. E pur avendo coscienza di un mondo portato al collasso, preferiscono non intervenire direttamente, delegando altri che in larga parte ragionano e ragioneranno nel medesimo modo.

[61] *Triumphus Pudicitiae.*

[62] *Triumphus Mortis.*

[63] La morte non è un passaggio piacevole, ma riflettere su di essa in senso fideistico – secondo Petrarca e non soltanto – può produrre esiti positivi nella valorizzazione della vita terrena e nel miglioramento delle doti personali.

rivivere nella memoria; del resto la memoria è sacra nel deposito delle nostre origini e nell'alimentazione della conoscenza. La memoria non è solamente tutto ciò che resta dei singoli individui, dei loro atti, delle conquiste, degli errori e dunque dell'identità, ma coadiuva la comunità nella ricerca delle proprie radici e insegna come fare per mantenerle forti, salde nella terra. Riflettendo sugli "scopi" che Petrarca si prefigge con la sua opera, si può facilmente chiudere il cerchio. Intuendo che la sua lezione non è stata capita, e la distorsione che ha portato al regresso emotivo è qualcosa che tocca in particolare il nostro secolo.

Nell'aggancio ai *Trionfi*, la fama è accompagnata da uno stuolo di uomini illustri, di azione, e da intellettuali antichi e moderni. La sollecitazione alla memoria – anche qui – è un collegamento fin troppo banale, ma imprescindibile. Il *Triumphus Temporis* invece mostra il sole, sul cui percorso il tempo si muove, e, adirato nel vedere quanti uomini sopravvivono alla fama, accelera il moto del proprio carro. Il narratore modifica, nel suo capitolo, asseverazioni riguardanti la caducità della gloria. L'ultimo trionfo[64] si prospetta come un'estasi profetica. Lo sguardo dell'autore si spinge sino alla visione del mondo ultraterreno, dove, alla consumazione dei secoli, regna il presente perpetuo: l'immobilità e lo splendore dei beati che risorgono a contemplare il dio dei vivi e dei morti sono l'unico punto stabile nell'universo. Tra i defunti c'è Laura nell'attesa della suprema beatitudine, e tra i cataloghi eruditi ecco riemergere il filo autobiografico. Torna l'alternanza di scompensi, tra rievocazione personale e ambizioni universali, con la sintassi temporale in bilico tra presente e passato che, nel finale, s'apre a una visione apocalittica.

In tutto vi sono sei apparizioni di trionfo in dodici capitoli. Il numero sei, accompagnato dal suo doppio, ha valore simbolico legato alla mitologia del desiderio per Laura,

---

[64] *Triumphus Eternitatis.*

e se il poema si apre e si chiude con l'evocazione della storia amorosa, collegandosi all'ordinamento dei *Rerum Volgarium Fragmenta* in trecentosessantasei poesie (i quali fissano la data del primo incontro con Laura e della morte al sei di aprile), i *Trionfi* aspirano a una dimensione universale. Come la *Divina Commedia* percorrono l'intero destino del genere umano nella parabola della finitezza terrestre, e dalle illusioni approdano al tripudio della "certezza dell'eternità". Una consolazione – per quanto poco scientifica e sottile – che il regresso emotivo del nostro secolo neppure può sognare, tranne in poche minoranze la cui poesia non avrà compimento, o non avrà il dono della permanenza del Petrarca.

Il poema, infatti, ambisce a oltrepassare l'interpretazione etica e allegorica della vicenda personale del narratore, per questo il numero sei assume una prerogativa che trascende la mitologia individuale. Una consolidata tradizione patristica concisa, nota a Petrarca tramite sant'Agostino, suddivideva in sei parti la genesi del mondo, tant'è l'ultima parte si estendeva dalla nascita di Cristo alla fine dei tempi. È la logica di sei entità che celebrano il trionfo, divise in due gruppi di segno opposto: Amore, Morte e Tempo esercitano un'azione negativa, mentre Pudicizia, Fama ed Eternità possiedono un ascendente favorevole. E ciascun trionfo consolida il superamento del precedente.

La metafora più spontanea è ancora una volta lo sviluppo, quello sviluppo che l'autore misura con sé e al di fuori di sé, e davanti al quale il regresso emotivo è il più emblematico dei campanelli d'allarme.

9. Postilla sull'(in)evitabile questione dei tempi

Se l'ultimo periodo del capitolo precedente veicola una intuizione forse ovvia, forse meno, comunque riscontrata e sottolineata poco dagli studiosi, essi sono stati più attratti dall'individuazione di eterogenei strati redazionali nelle opere del poeta. Tra le carte del Petrarca, alla sua dipartita, doveva esserci almeno una traccia della prima redazione che si apriva con la vulgata, e rappresentata dal secondo capitolo del *Triumphus Mortis*, con la rievocazione consolatoria del passato a mo' di risarcimento post mortem delle frustrazioni. Invece no, o meglio: chissà.

Al *Triumphus Mortis* segue il capitolo del *Triumphus Famae*. Nel primo capitolo del trionfo dedicato alla fama segue un folto catalogo di nomi, per dimostrare che essa sopravvive alla morte fisica. L'analisi d'influssi letterari che il primo progetto rivela nella ripartizione tra sogno e visione è capillare, ma la querelle davvero annosa è sulle fasi temporali[65]. Infatti, alla solita stratificazione redazionale, si accompagna una disperante povertà di dati. Possediamo un autografo, rappresentato da una parte del terzo *Triumphus Cupidinis* e da quello dell'*Eternità* (contenuto nel "codice degli abbozzi"). Conosciamo sì un notevole apparato di va-

---

[65] Definire le coordinate temporali delle opere di Petrarca è sempre un'impresa ardua. Se è vero, infatti, che egli interloquisce spesso su di sé e sui suoi scritti e che, in primis, nella storia delle lettere, ci ha lasciato una mole di informazioni imponente, è altrettanto veritiero che egli coltiva l'arte della riscrittura, con riferimento ad una tale sistematicità da rendere, spesso, vani gli sforzi dei filologi.

rianti e di postille di tradizione indiretta, cioè da stralci autografi dell'autore, ma le date contenute nelle postille cominciano solo dal settembre 1357, e le più vetuste sono riferite al primo capitolo del *Trionfo di Amore*.

Petrarca, solitamente verboso, accenna raramente al poema – forse con l'unica eccezione di un oscuro cenno contenuto nelle *Familiari*. La convinzione, maturata dagli studiosi che per primi esaminarono le carte era che i *Triumphi* fossero un'opera tarda. Soltanto in seguito ha preso ad affermarsi l'idea della retrodatazione al 1351.

In assenza di documenti ulteriori, i quali non possono essere sfuggiti al logorio dei secoli, potremo solo continuare a ragionare, dedurre, e tornare ad approssimare.

Valentina Bongliera

Bibliografia critica

Goffis C. F., *Originalità dei Trionfi*, La Nuova Italia, Firenze, 1951.

Calcaterra C., *La prima ispirazione dei "Trionfi" del Petrarca* in *Giornale storico della letteratura italiana*, 1941, p.1-41.

Suitner F., *Petrarca e la tradizione stilnovistica*, Olschki, Firenze, 1977.

Avalle S., *Concordanze della lingua poetica delle origini*, Milano, Ricciardi, Napoli, 1992.

Perugi M., *Trovatori a Valchiusa, un frammento della cultura provenzale del Petrarca*, Antenore, Padova, 1985.

Calcaterra C., *Nella selva del Petrarca*, Cappelli, Bologna, 1942.

De Sanctis F., *Saggio critico sul Petrarca*, Einaudi, Torino, 1983.

Contini, G., *Preliminari sulla lingua del Petrarca*, Einaudi, Torino, 1966.

Santagata M., *Per moderne carte. La biblioteca volgare di Petrarca*, Il Mulino, Bologna, 1990.

Billanovich G. *Petrarca letterato, lo scrittoio del Petrarca*, Edizioni di Storia e letteratura, Roma, 1947.

Trovato P., *Dante in Petrarca. Per un inventario dei dantismi nei "Rerum volgarium fragmenta"*, Olschki, Firenze, 1979.

Mercuri R., *Genesi della tradizione letteraria italiana in Dante, Petrarca e Boccaccio* in *Letteratura italiana. Storia e geografia*, Einaudi, Torino, 1987.

Folena G., *Cultura e poesia dei siciliani* in *Storia della letteratura italiana*, Garzanti, Milano, 1965.

Kohler E., *Sociologia della fin amor. Saggi trobadorici*, Liviana, Padova, 1987.

Sarri F., *Socrate e la genesi storica dell'idea occidentale di anima*, Abete, Roma, 1975.

Tateo F., *Dialogo interiore e polemica ideologica nel "Secretum" del Petrarca*, Le Monnier, Firenze, 1965.

Flasch K., *Agostino d'Ippona*, Il Mulino, Bologna, 1983.

Boccaccio G., *Amorosa Visione*, a cura di Vittore Branca, Sansoni, Firenze, 1944.

Alighieri D., *Vita nuova*, a cura di Michele Barbi, Hoepli, Milano, 1932.

Alighieri D., *Il Convivio*, a cura di Franca Brambilla Ageno, Le Lettere, Firenze, 2005.

Alighieri D., *La Commedia secondo l'antica vulgata*, a cura di Giorgio Petrocchi, Le Lettere, Firenze, 1994.

Publio, Ovidio Nasone, *Le metamorfosi*, BUR, Milano, 1994.

Seneca, *De tranquillitate animo*, Aracne editrice, Roma, 2008.

Seneca, *De otio*, Paideia, Brescia, 2007.

Seneca, *De constantia sapientia*, EDAS, Messina, 1977.

Senofonte, *Detti memorabili di Socrate,* a cura di A. Santoni, BUR, Milano, 1997.

Agostino, *De vera religione*, Ugo Mursia editore, Milano, 2012.

Agostino, *De civitate dei,* Città Nuova editore, Roma, 2002.
Agostino, *De doctrina christiana,* Città Nuova editore, Roma, 1995.
Agostino, *Confessioni,* Rizzoli Milano, 1958.
Tommaso d'Aquino, *Summa teologica*, Città Nuova editore, Roma, 1984.

Bibliografia dell'autore

F. Petrarca, *Africa*, Sansoni, Firenze, 1926 a cura di Nicola Festa.

F. Petrarca, *Bucolicum carmen*, a cura di Luca Canali, Manni, Lecce, 2005.

F. Petrarca, *De otio religioso,* Roma, Biblioteca Apostolica Vaticana, 1958, a cura di Giuseppe Rotondi.

F. Petrarca, *De sui ipsius et multorum ignorantia,* a cura di Enrico Fenzi, Ugo Mursia editore, Milano, 1999.

F. Petrarca, *De Viris illustribus*, a cura di Giacinto Namia, Le Lettere, Firenze, 2012.

F. Petrarca, *De Vita religiosa*, a cura di L. dal Lago, EMP, Padova, 2004.

F. Petrarca, *De vita solitaria*, a cura di Marco Noce, Mondadori, Milano, 1992.

F. Petrarca, *Epistole,* Utet, Torino, 1978.

F. Petrarca, *Guida al viaggio da Genova alla Terra Santa. Itinerarium Syriacum*, a cura di Ugo Dotti, Feltrinelli, Milano, 2018.

F. Petrarca, *Invective contra medicum. Invectiva contra quendam magni status hominem sed nullius scientie aut virtutis*, a cura di F. Bausi, Le Lettere, Firenze, 2005.

F. Petrarca, *Le Familiari*, a cura di V. Rossi e U. Bosco, Le Lettere, Firenze, 1997.

F. Petrarca, *Psalmi penitentiales*, ESI, Napoli, 2002.

F. Petrarca, *Rerum memorandarum libri,* a cura di M. Petoletti, Le Lettere, Firenze, 2004.

F. Petrarca, *Rerum volgarium fragmenta*, a cura di Marco Santagata, Mondadori, Milano, 1996.

F. Petrarca, *Secretum,* a cura di Ugo Dotti, BUR, Milano, 2000.

F. Petrarca, *Seniles,* a cura di Manlio Pastore Stocchi e Susy Marcon, Marsilio, Roma, 2003.

F. Petrarca, *Sine nomine*, a cura di Giovanni Cascio, Le Lettere, Firenze, 2015.

F. Petrarca, *Trionfi, Rime estravaganti, codice degli abbozzi,* a cura di Marco Santagata, Mondadori, Milano, 1996.

Il curatore

Giorgio Mascari nasce senza volerlo e vive volendolo in pianura padana, un luogo in cui quando l'umidità scende sotto il 90% si esce con le bermuda e le infradito. Autore di testi per il cabaret, ha trovato una sua dimensione in magazine web e realtà editoriali altrettanto propense agli apostolati della satira. Pratica atti di cortesia casuali e non disdegna di ringraziare per le attenzioni, prima di tornare ad essere estraneo. Infesta il mondo dal 1982 e spera che la natura possa arginare la pandemia il più tardi possibile.

Il volume è realizzato con materiali di pregio.
La copertina è in Fedrigoni Old Mill 300, un cartoncino naturale di pura cellulosa ecologica, certificato FSC e marcato a feltro su entrambi i lati; la carta è un Arena Ivory Bulk extralusso a grammatura 140.
I primi 20 esemplari sono singolarmente numerati.

Indice

*Stampato per conto di Divergenze
da Printì Srl – Manocalzati (Av)
nel mese di settembre 2020*